P9-DMY-194

CACHE-CACHE
AUTOUR DU MONDE

Kamini Khanduri

Illustrations : David Hancock

Directrice de la collection : Felicity Brooks

Pour l'édition française :
Traduction : Nathalie Chaput
Rédaction : Renée Chaspoul et Carla Brown

Sommaire

Au sujet de ce livre

Ta grand-tante Yvonne t'offre un merveilleux cadeau : un billet pour faire le tour du monde. Tu visiteras des tas d'endroits sensationnels tout en t'amusant à chercher une foule d'objets.

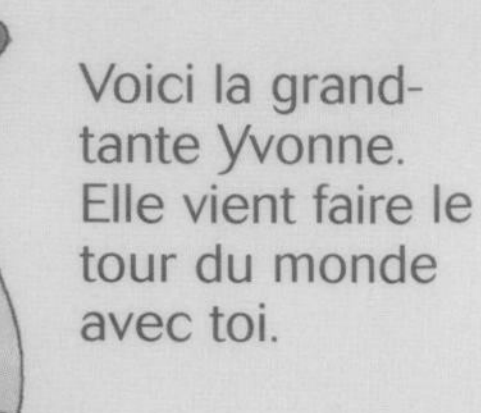

Voici la grand-tante Yvonne. Elle vient faire le tour du monde avec toi.

Cette carte t'indique tous les endroits où tu vas t'arrêter.

La grand-tante Yvonne aimerait que tu rapportes des cadeaux pour tes parents et amis de chaque endroit que tu visites. Elle t'a donné une liste mais ne t'a pas dit où trouver les cadeaux. À toi de les découvrir. Voici ce que tu dois rapporter :

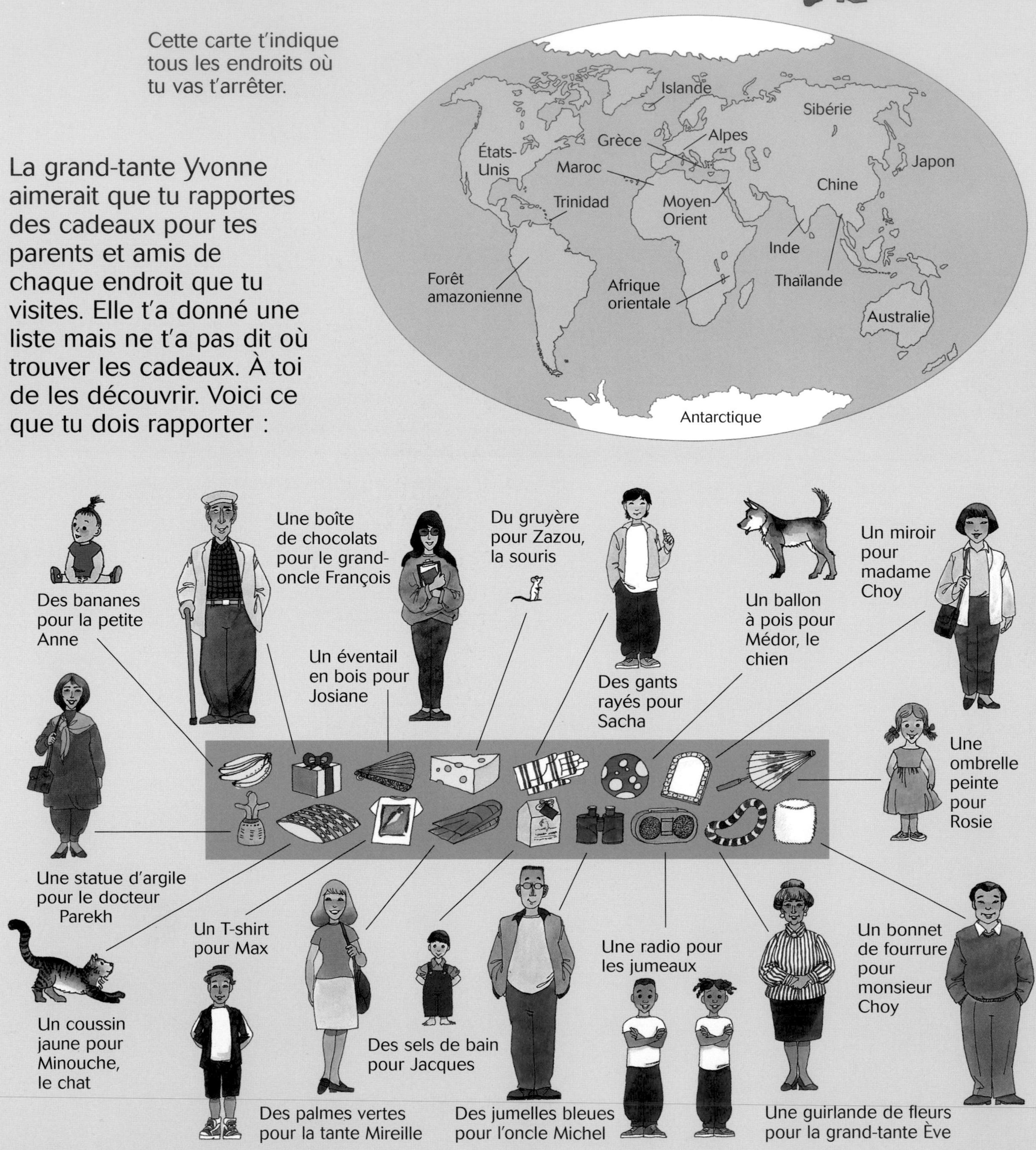

Ce que tu dois trouver

Sur chaque double page de ce livre se trouve une des étapes de ton tour du monde. Regarde bien les dessins ; on te demande à chaque fois de trouver des choses. Certaines sont faciles à repérer, d'autres plus difficiles.

Cette bande t'indique l'endroit où tu es, l'heure et le temps qu'il fait.

Pour t'aider à retrouver la grand-tante Yvonne, on te dit ce qu'elle fait.

Il faut que tu cherches tous ces petits dessins dans la grande image.

Grâce à ce pense-bête, tu n'oublieras aucun des cadeaux que tu dois rapporter. Il y en a un par endroit visité.

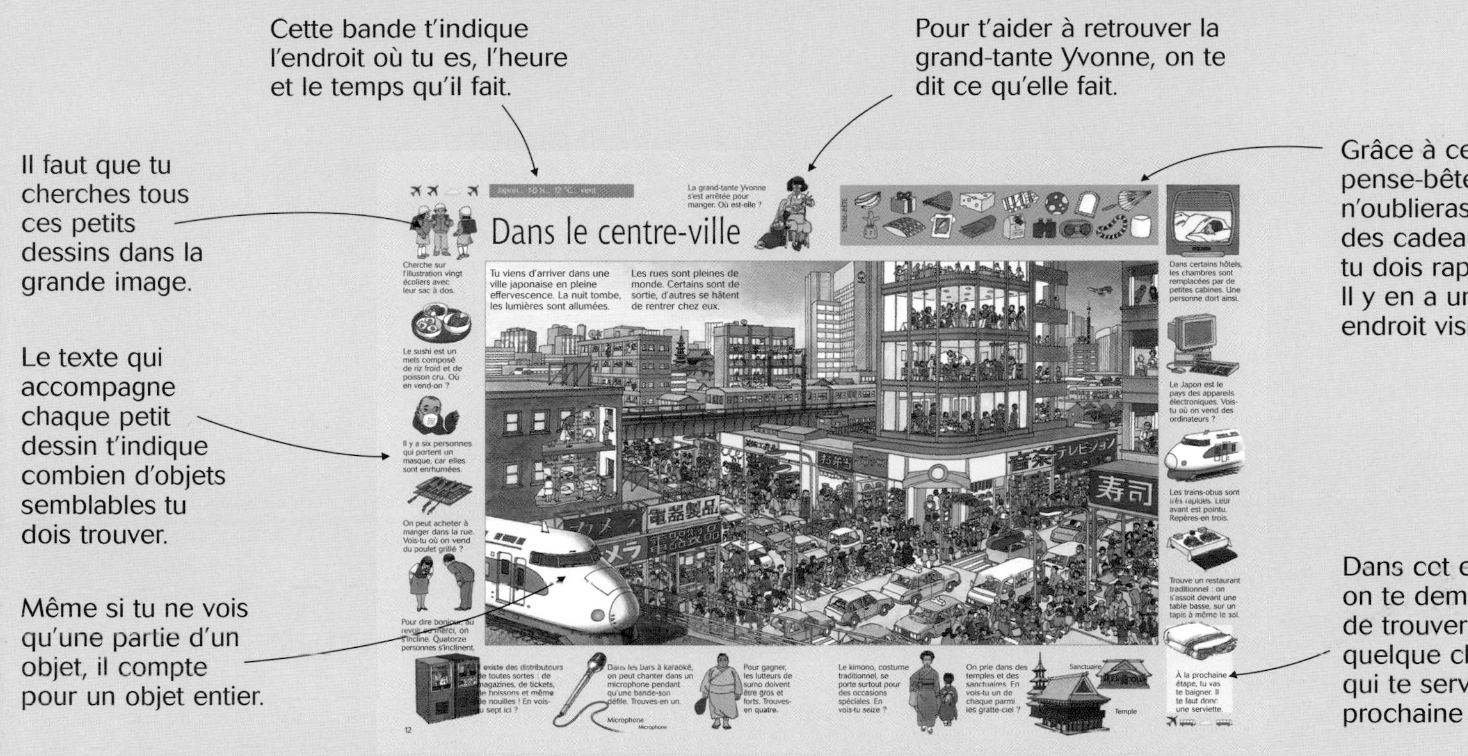

Le texte qui accompagne chaque petit dessin t'indique combien d'objets semblables tu dois trouver.

Même si tu ne vois qu'une partie d'un objet, il compte pour un objet entier.

Dans cet encadré, on te demande de trouver quelque chose qui te servira à la prochaine étape.

Comment jouer

Quand tu as trouvé tous les objets sur une double page, tu peux partir pour la prochaine destination... qui ne figure pas à la double page suivante. Alors, où aller et comment ? Pour le savoir, voici ce que tu dois faire.

Dans le coin droit en bas de chaque double page, tu verras quatre symboles. Ce sont tes moyens de locomotion.

Pour connaître ta prochaine destination, cherche ces mêmes symboles en haut et à gauche d'une autre double page.

Tu prendras le bateau, le train, le car ou l'avion. À chaque voyage, tu peux utiliser plusieurs fois le même moyen de locomotion ou ne pas les utiliser tous.

N'OUBLIE PAS

Sur chaque double page, tu dois trouver :

* la grand-tante Yvonne
* un cadeau à rapporter
* plein de choses cachées dans la grande image
* un objet qui te servira à la prochaine étape
* ta prochaine étape

Si tu te perds, reporte-toi à la carte de la page 40. Elle t'indique le bon chemin. Si tu n'arrives pas à trouver tous les objets qu'on te demande, regarde les réponses en pages 42-47. Maintenant tourne la page et... bon voyage !

15 h 30... Embarquement immédiat

À l'aéroport

La grand-tante Yvonne croule sous les bagages. Où est-elle ?

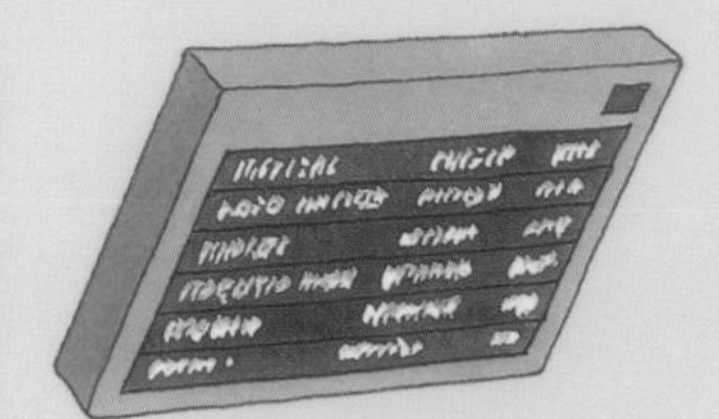

Les vols s'affichent sur les écrans d'information. En vois-tu onze ?

On peut faire des achats. Un homme achète des lunettes de soleil.

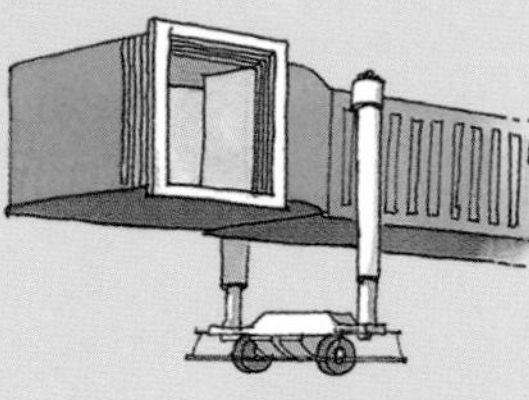

Pour embarquer, tu dois emprunter une passerelle couverte. La vois-tu sur l'illustration ?

Il y a plusieurs restaurants à l'étage. Vois-tu la personne qui mange ce plat ?

On conduit les personnes âgées ou handicapées dans une voiture. Il y en a deux.

Tu te rends d'abord à l'aéroport. C'est un endroit immense et très animé. À l'extérieur, les passagers commencent à embarquer. Tu enregistres tes bagages, passes la sécurité et montes dans l'avion. Enfin, c'est le départ !

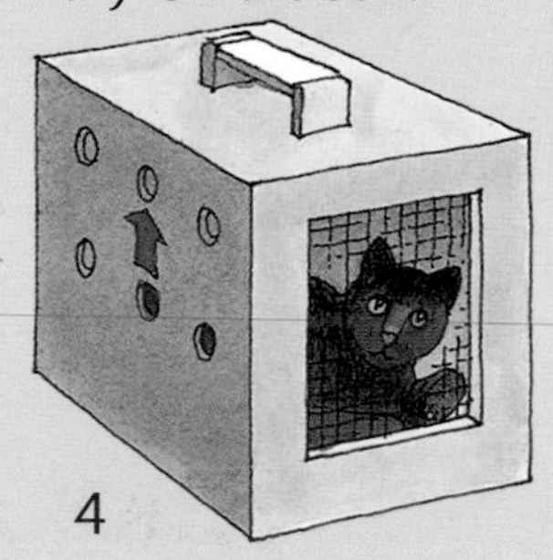

On peut faire voyager certains animaux en avion dans des cages spéciales. Trouve ce chat.

Sac que l'on fouille.

Couteau dans une valise détecté grâce aux rayons X.

Passager soumis au détecteur de métal.

Il faut vérifier que personne ne porte d'armes. Trouve ces objets et cet homme.

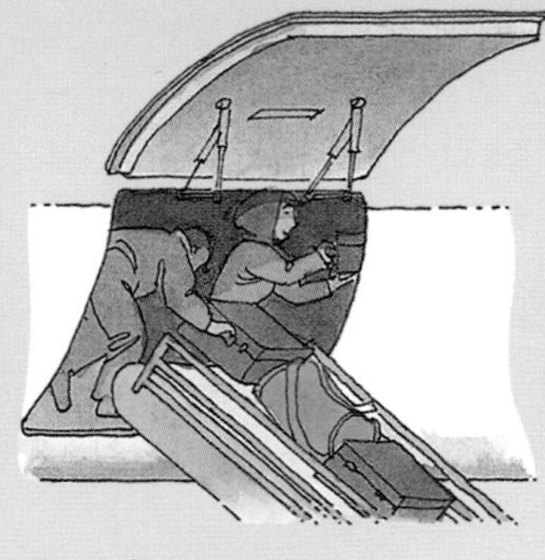

Les bagages enregistrés vont dans la soute de l'avion. Est-ce que tu la vois ?

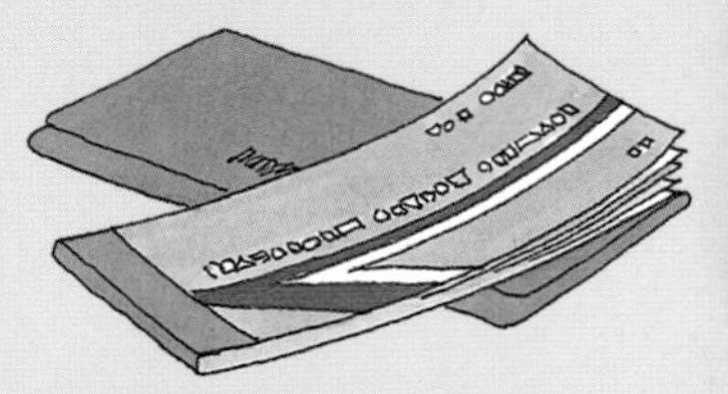

Pour voyager en avion, il faut un billet. Cherche quelqu'un qui a déchiré le sien.

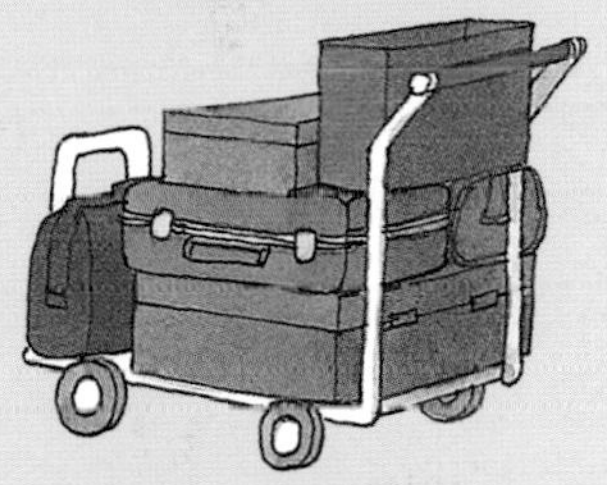

On peut mettre ses bagages sur un chariot. En vois-tu sept ?

Au bureau de change, on peut changer son argent. Le vois-tu dans l'image ?

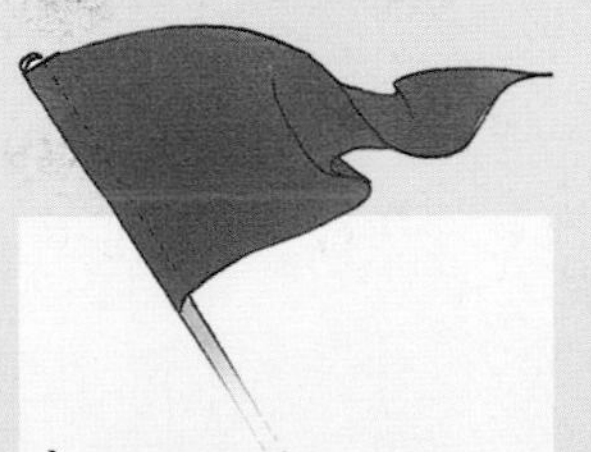

À la prochaine étape, il va y avoir une fête. Trouve un drapeau rouge à agiter.

Cabine téléphonique. Il y en a huit.

Dans l'avion, les hôtesses et les stewards s'occupent des passagers. Trouves-en dix.

Dans la tour, les contrôleurs donnent des instructions aux pilotes des avions. La vois-tu ?

Thaïlande... 8 h... 21 °C... temps couvert

La grand-tante Yvonne fait tomber ses courses. Trouve-la.

Au marché flottant

Il te faut un chapeau de soleil en paille. Il y a deux bateaux qui en vendent.

Tu te promènes le long d'un canal où se tient un marché insolite. Les marchandises se trouvent dans des bateaux.

Si tu veux acheter quelque chose, tu dois faire signe au marchand ; il pagaiera vers toi pour te vendre ses produits.

Les fruits et les légumes sont vendus au poids. Cherche neuf balances.

Où sont les onze souïmangas ?

On peut acheter des currys tout préparés. Trouve deux bateaux dans lesquels on cuisine ce qu'on vend.

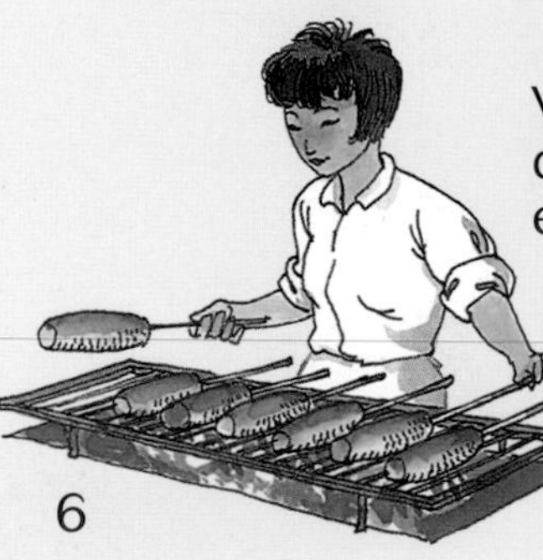

Vois-tu quelqu'un qui fait griller des épis de maïs ?

Pastèques

Ananas

Noix de coco

Citrons verts

On vend légumes et fruits frais. Vois-tu deux bateaux remplis de chacun de ces fruits ?

PENSE-BÊTE

Ces poupées en costume traditionnel de danseuse thaï sont à vendre. Où sont-elles ?

Trouve des bateaux qui vendent ces marchandises, trois pour chacune d'elles.

Le bouddhisme est la religion principale. Les temples bouddhistes sont donc nombreux. Cherches-en un.

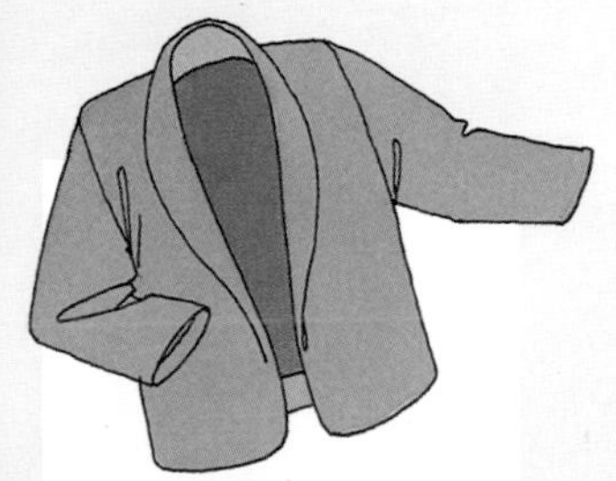

Pour ta prochaine étape, il te faut une veste du soir en soie. Trouve-la.

On peut acheter de beaux objets d'artisan. Trouve les objets ci-contre.

Table en bois sculpté

Colliers en argent

Coussins brodés

Canards en bois laqué

Les bonzes sortent des temples pour demander à manger. Il y en a six.

Australie... 13 h 30... 24 °C... vent

La grand-tante Yvonne est très occupée. Est-ce que tu la vois ?

À la plage

Les véliplanchistes manœuvrent leur planche à voile. Trouves-en dix.

L'écran total protège la peau du soleil. Il y a quatre personnes qui s'en mettent.

Les dauphins jouent souvent près des nageurs. Cherches-en dix.

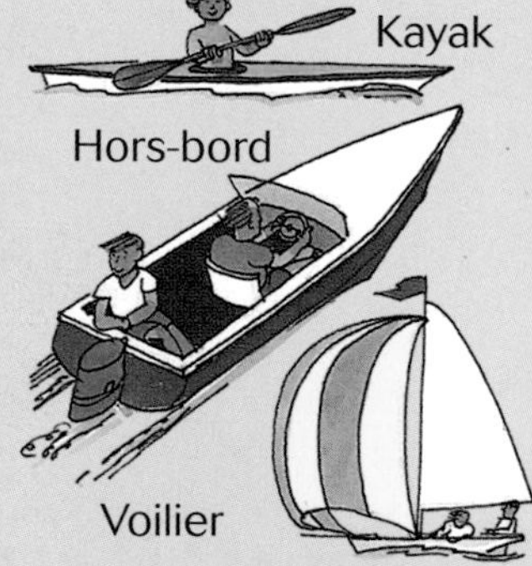

Il y a ici toutes sortes de bateaux. Trouves-en sept de chaque type.

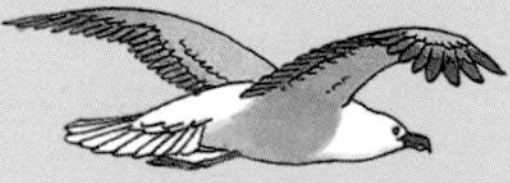

Cherche quatorze mouettes.

Tu arrives à cette plage par une belle journée ensoleillée. Il y a foule. Tu peux aller te baigner ou pratiquer un sport nautique. Et si tu veux tout simplement te reposer, tu peux t'allonger paresseusement sur le sable chaud.

Les skieurs nautiques se font tirer sur l'eau par un hors-bord. Trouves-en huit ici.

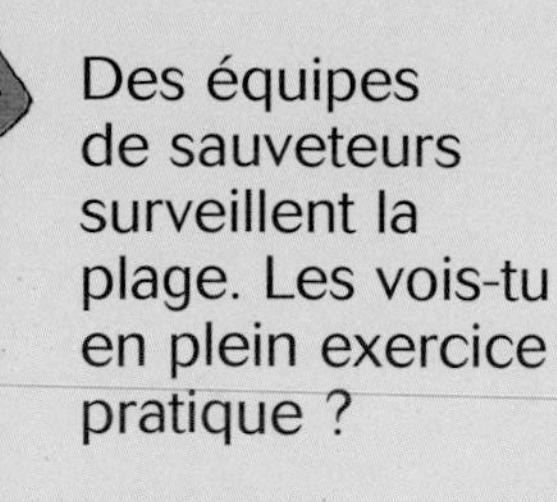

Des équipes de sauveteurs surveillent la plage. Les vois-tu en plein exercice pratique ?

On peut plonger dans les récifs de corail et observer l'étonnante vie sous-marine. Il y a cinq plongeurs.

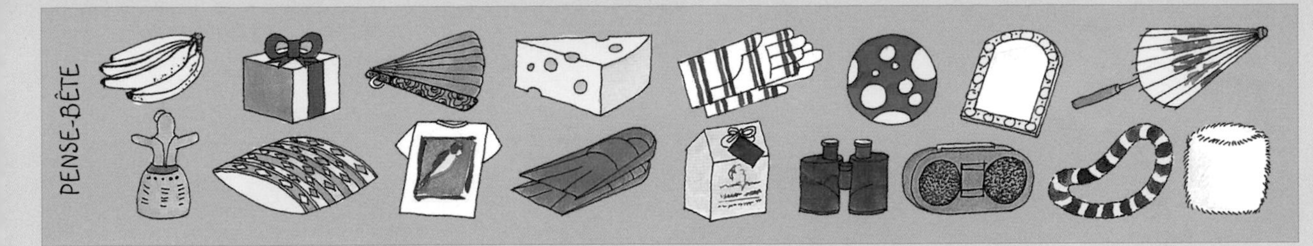

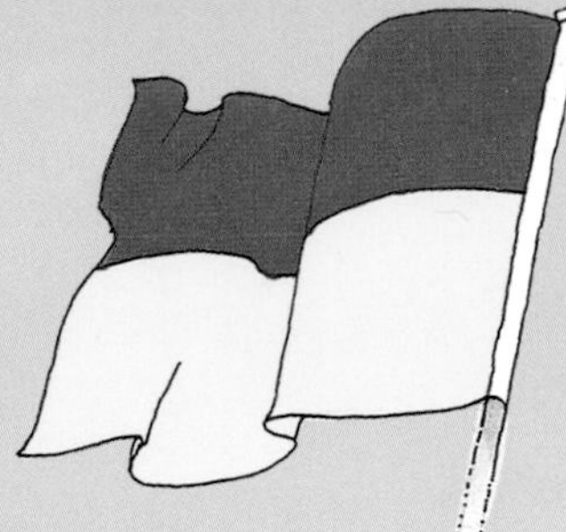

Trouve deux drapeaux signalant les zones à l'abri des requins et des courants.

Les kangourous et koalas vivent à l'état sauvage en Australie. Trouve une peluche pour chacun.

Trouve trente surfeurs montés sur leur planche.

Neuf personnes conduisent des jet-skis.

À la prochaine étape, il y a de drôles d'oiseaux. Trouve un appareil photo pour les photographier.

Un tuba permet de respirer quand on nage sous l'eau. Trouve dix tubas.

Les parachutistes ascensionnels se font tirer en parachute par un bateau. Repères-en deux.

La grand-tante Yvonne retrousse ses manches. Où est-elle ?

Dans le désert

Les Bédouins prennent grand soin de leurs dromadaires. En vois-tu quarante ?

Les Bédouins mangent viande, pain, fromage et riz. Une femme fait du pain.

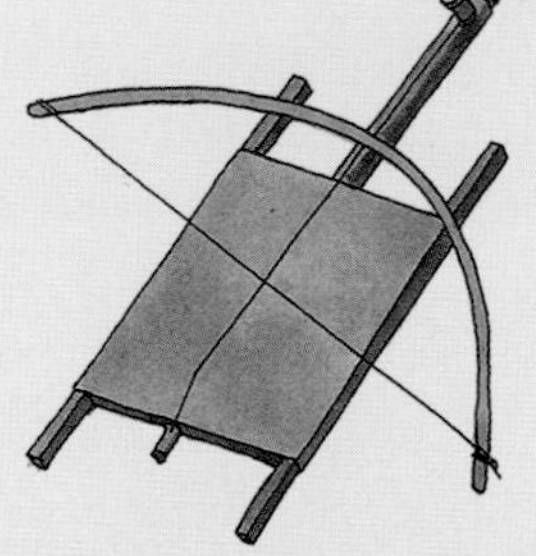

Les musiciens jouent souvent du rabab pour divertir les invités. Trouves-en quatre.

Les chèvres donnent viande et poil, que l'on tisse pour faire les tentes. Trouves-en trente.

Au bout d'un long voyage dans le désert sec et poussiéreux, tu rencontres des Bédouins. En général, ils vivent en petits groupes, mais aujourd'hui, ils se sont rassemblés sous les tentes pour préparer une grande fête. Il y a du monde !

Sahah

Sous les tentes, un rideau, le sahah, sépare les femmes des hommes. Cherches-en quatre ici.

Sacs remplis d'aliments secs

Chapelets d'oignons

Pots en métal

Les Bédouins vendent leurs animaux au marché et achètent des marchandises. Trouves-en trois de chacune ci-contre.

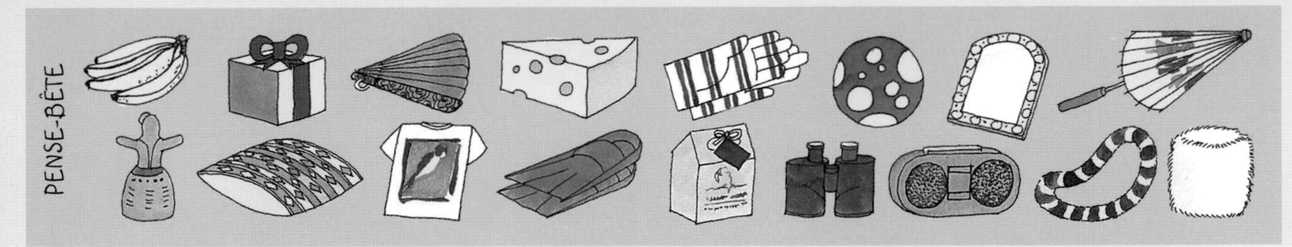

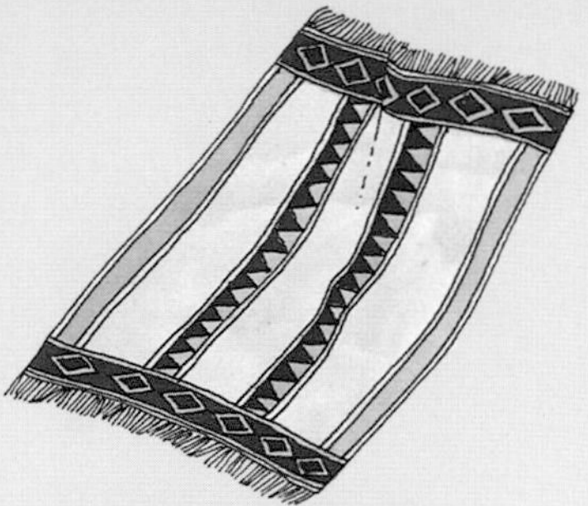

Avec les poils des dromadaires et des chèvres, les femmes tissent tapis, habits et coussins. Trouve ce tapis.

De nos jours, les Bédouins préfèrent les camionnettes aux dromadaires. En vois-tu neuf ?

Trouve dix sloughis, des chiens très rapides utilisés pour la chasse au lièvre.

On boit le lait du dromadaire, et on s'en sert pour cuisiner. Trouves-en trois bols.

À la prochaine étape, tu visiteras des temples. Trouve un livre qui t'indique où les trouver.

Les Bédouins offrent du café à tous leurs invités. Trouve tous les objets ci-contre.

Cafetière

Poêle pour griller les grains de café.

Verres à café

Mortier et pilon pour moudre les grains.

Selle de dromadaire. En vois-tu trois ?

Japon... 18 h... 12 °C... vent

Dans le centre-ville

La grand-tante Yvonne s'est arrêtée pour manger. Où est-elle ?

Cherche dans l'illustration vingt écoliers avec leur sac à dos.

Le sushi est un mets composé de riz froid et de poisson cru. Où en vend-on ?

Il y a six personnes qui portent un masque, car elles sont enrhumées.

On peut acheter à manger dans la rue. Vois-tu où on vend du poulet grillé ?

Pour dire bonjour, au revoir ou merci, on s'incline. Quatorze personnes s'inclinent.

Tu viens d'arriver dans une ville japonaise en pleine effervescence. La nuit tombe, les lumières sont allumées.

Les rues sont pleines de monde. Certains sont de sortie, d'autres se hâtent de rentrer chez eux.

Il existe des distributeurs de toutes sortes : de magazines, de tickets, de boissons et même de nouilles ! En vois-tu sept ici ?

Dans les bars à karaoké, on peut chanter dans un microphone pendant qu'une bande-son défile. Trouves-en un.

Microphone

Pour gagner, les lutteurs de sumo doivent être gros et forts. Trouves-en quatre.

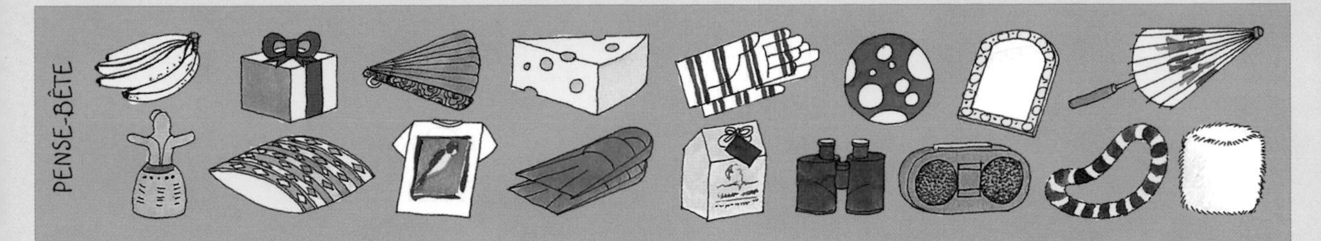

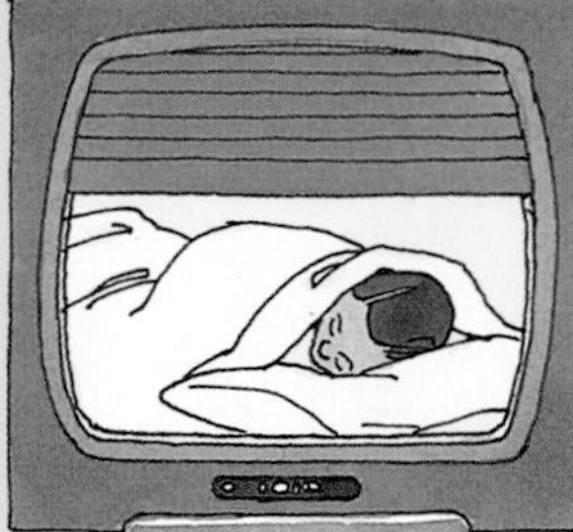

Dans certains hôtels, les chambres sont remplacées par de petites cabines. Une personne dort ainsi.

Le Japon est le pays des appareils électroniques. Vois-tu où on vend des ordinateurs ?

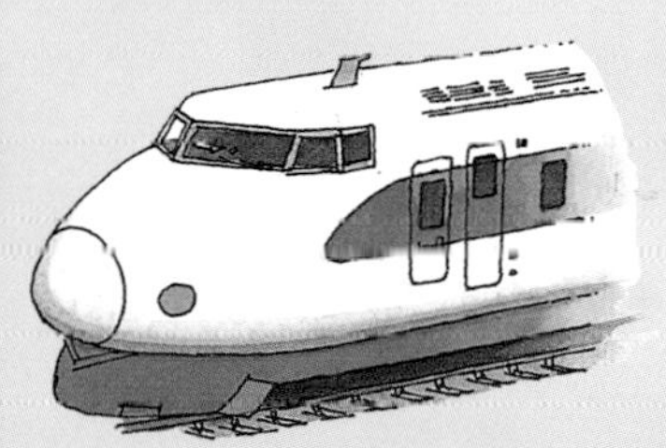

Les trains-obus sont très rapides. Leur avant est pointu. Repères-en trois.

Trouve un restaurant traditionnel : on s'assoit devant une table basse, sur un tapis à même le sol.

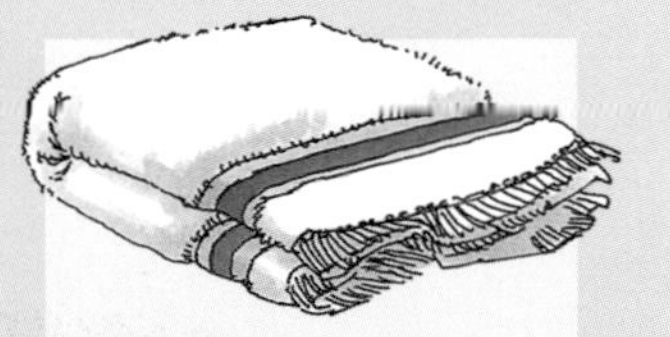

À la prochaine étape, tu vas te baigner. Il te faut donc une serviette.

Le kimono, costume traditionnel, se porte surtout pour des occasions spéciales. En vois-tu seize ?

On prie dans des temples et des sanctuaires. En vois-tu un de chaque parmi les gratte-ciel ?

Sanctuaire

Temple

Islande... 17 h 30... 9 °C... temps couvert

À la piscine

La grand-tante Yvonne est en train de lire. Où est-elle ?

Une multitude d'oiseaux viennent nicher sur la côte. Trouve vingt eiders.

Tu t'amuses à barboter dans cette piscine appelée le « Lagon bleu ». L'eau chaude et salée provient de sources souterraines. Elles forment parfois des geysers, jets de vapeur ou d'eau bouillante, ou des mares boueuses pleines de grosses bulles.

Jouet en forme de requin

Matelas pneumatique

On vient s'amuser et se détendre dans l'eau chaude. Trouve sept de chacun de ces objets.

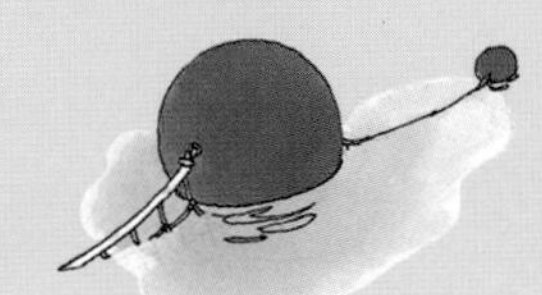

Les bouées signalent là où l'eau est trop chaude ou pas assez profonde pour nager. Trouve vingt bouées.

Une centrale électrique utilise la vapeur produite par l'eau chaude. Il y a cinq cheminées qui rejettent de la vapeur. Les vois-tu ?

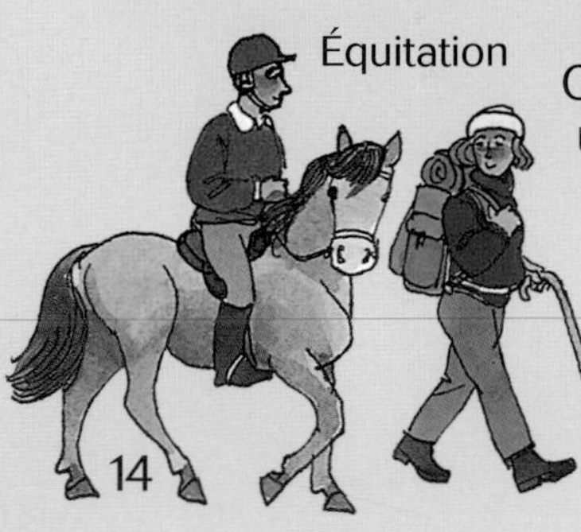

Équitation

Randonnée

On peut pratiquer un grand nombre d'activités. Cherche sept cavaliers et sept randonneurs.

À la clinique du Lagon bleu, on soigne les problèmes de peau. Trouve un médecin.

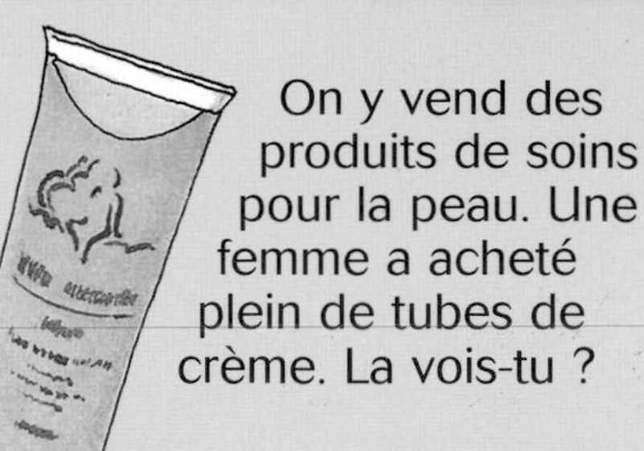

On y vend des produits de soins pour la peau. Une femme a acheté plein de tubes de crème. La vois-tu ?

Le quatre-quatre est bien adapté à l'état des routes islandaises. Cherches-en huit.

Ces plateaux-repas offrent du requin, des crevettes ou du saumon. Trouves-en vingt et un.

Il y a aussi des vestiaires, où les baigneurs peuvent se changer. Trouve celui des femmes sur l'illustration.

On peut loger à l'hôtel du Lagon bleu. Vois-tu le client qui arrive avec ses bagages ?

Ensuite, tu voyageras en bateau. Trouve des pilules contre le mal de mer.

Des serveurs servent les baigneurs dans l'eau. Trouves-en quatre de chaque sexe.

L'eau et la boue du fond de la piscine sont censées être bonnes pour la peau. Trouve quinze personnes qui se sont enduites le visage de boue.

La grand-tante Yvonne est bien emmitouflée. Où est-elle ?

Sur la banquise

Les albatros survolent l'eau pour trouver à manger. Cherches-en trois.

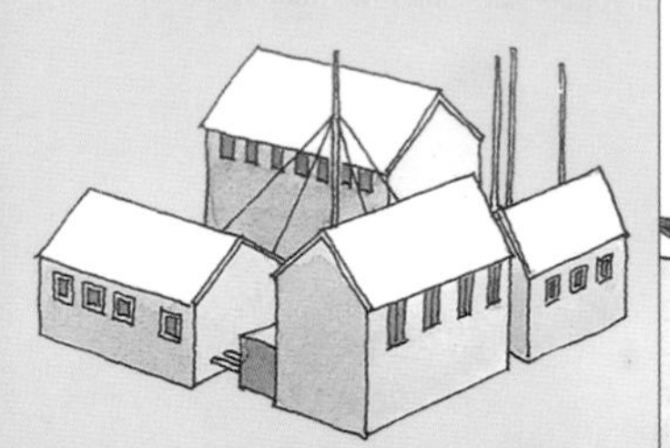

Des scientifiques faisant des travaux de recherche vivent dans cette station. Trouve-la.

Cherche quatre orques. Elles font basculer les plaques de glace occupées par les phoques.

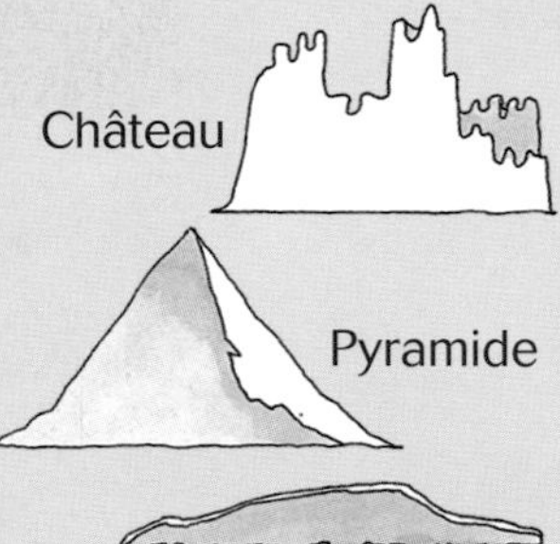

Un iceberg est un énorme morceau de glace qui flotte dans la mer. Vois-tu ces trois formes ?

Tu te trouves dans l'Antarctique, un continent froid et venteux où la terre et l'eau sont presque toujours gelées. Tu vois des baleines et photographies les manchots. Mais il ne faut ni déranger les animaux ni souiller leur habitat de glace.

Ils « rament » avec leurs ailes.

Ils font du toboggan sur la glace.

Les manchots ne volent pas, mais ils se déplacent rapidement. Trouves-en douze qui nagent et douze qui font du toboggan.

Les chercheurs plongent dans l'eau glacée pour observer les animaux et les photographier. Trouves-en sept.

Phoque crabier. Trouves-en douze.

Les chercheurs atteignent les régions reculées grâce à de petits avions. Trouves-en trois.

Trouve une baleine à bosse.

On peut se déplacer au milieu de la glace à l'aide de canots pneumatiques. Trouves-en huit.

Les léopards de mer chassent les manchots. En vois-tu deux ?

Un navire océanographique transporte chercheurs et matériel, un bateau de croisières des touristes. En vois-tu un de chaque ?

Navire océanographique

Bateau de croisière

Les chercheurs fixent des émetteurs sur des animaux pour recueillir par satellite des informations sur leur mode de vie. Il y en a deux.

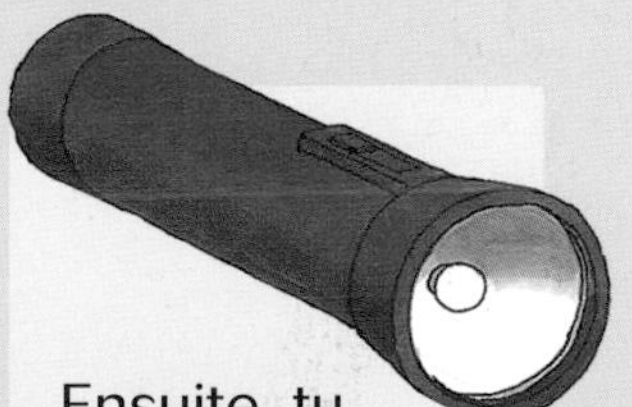

Ensuite, tu vas dans un endroit où il fait sombre. Trouve une lampe de poche.

La grand-tante Yvonne s'amuse bien : elle danse dans la foule. Où est-elle ?

Les costumes reflètent le thème choisi par chaque groupe. Trouve les groupes dont le thème est illustré ci-dessus.

Trinidad... 18 h... 29 °C... ensoleillé

Au carnaval

PENSE-BÊTE

Tu arrives en plein carnaval. Des centaines de danseurs et de musiciens, regroupés par thème, défilent en cortège dans les rues. Tu t'amuses rien qu'à les regarder, mais la musique te donne envie de te joindre à eux.

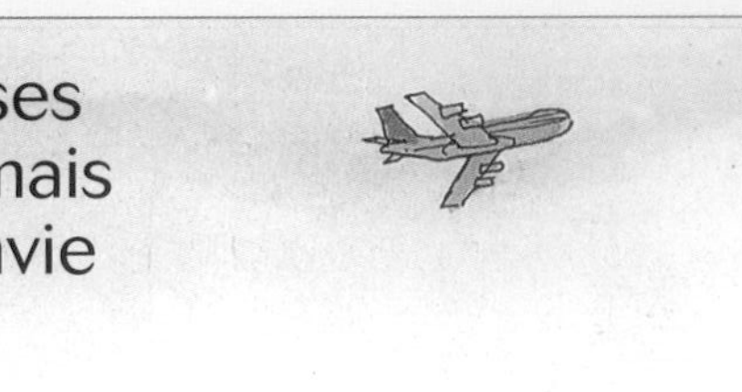

Les costumes coûtent très cher et il faut des mois pour les faire. Vois-tu celui-ci ?

La police surveille le cortège avec vigilance. Trouve dix policiers.

Les musiciens se déplacent en char (sorte de camion). Cherches-en trois.

Sorbets aux fruits

Épi de maïs

Rotis (petits pains)

On vend de tout dans la rue. Vois-tu où l'on peut acheter ces trois choses ?

Des juges élisent le groupe avec les plus beaux costumes et la meilleure musique. Vois-tu quelqu'un qui joue au juge ?

La vendeuse de noix de coco coupe le fruit pour qu'on puisse en boire le jus et manger sa chair blanche et sucrée. Trouve-la.

Les calypsos sont des chants de carnaval très dansants, au rythme endiablé. Trouve deux chanteurs avec un micro.

À Trinidad, il pousse de succulents fruits tropicaux, dont les mangues et les ananas. Cherche un étal de fruits.

Trouves-tu dix-huit tambours métalliques ?

Moco Jumbie

Burroquite

Jab Molassi

Il y a toujours des personnages traditionnels. Vois-tu ces trois-là ?

Tu vas faire les magasins. Trouve une calculatrice pour additionner l'argent que tu dépenseras.

Au souk

La grand-tante Yvonne fait des achats. Où est-elle ?

Les herbes et les épices colorées, comme le safran et la menthe, sentent bon. Vois-tu où on les vend ici ?

Luth

Tambourin

Tu entends de la musique. Trouve ces deux instruments.

La laine qui sert à fabriquer les tapis est teinte puis mise à sécher. Trois hommes portent des ballots de laine.

Les dattes poussent dans le désert, sur des dattiers. Est-ce que tu vois des étals de dattes ?

Tu te trouves à présent au milieu d'un marché marocain très animé, le souk. Tu flânes le long des rues sombres et découvres des odeurs, des bruits et des objets inconnus. Il y a mille choses intéressantes à regarder... et à acheter !

Poteries peintes

Paniers tressés

Plateaux de cuivre

Toques brodées

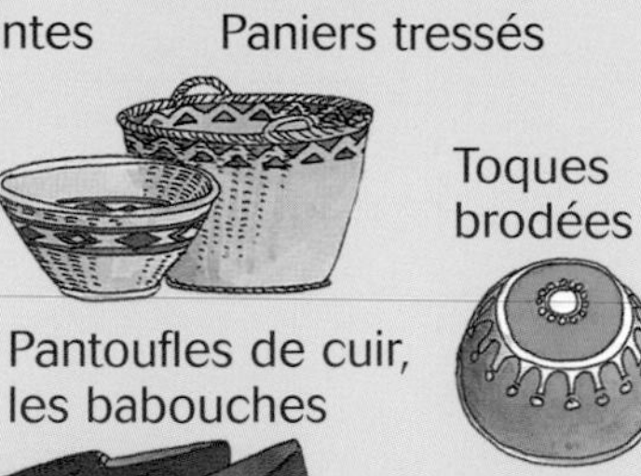

Pantoufles de cuir, les babouches

On peut acheter des objets artisanaux magnifiques et parfois les voir fabriquer. Où sont vendus les objets ci-contre ?

L'équitation est pratiquée au Maroc depuis bien longtemps. Trouve deux selles à vendre.

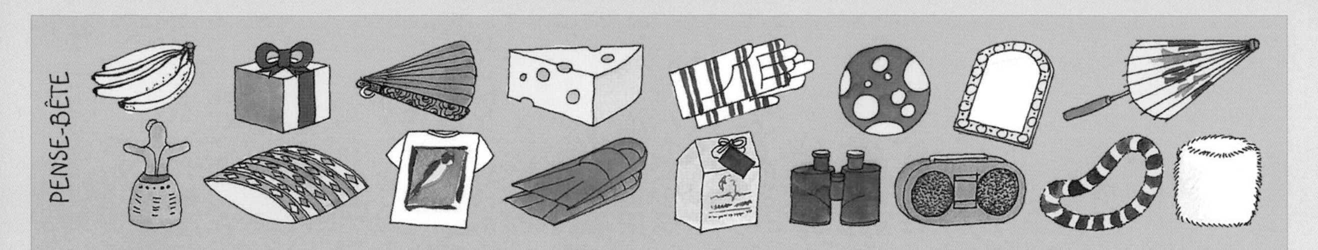

Les porteurs d'eau proposent aux passants de se désaltérer. En vois-tu quatre ?

On vend des animaux vivants. Il y a neuf poules.

On discute le prix des objets. Deux personnes sont en train de marchander ce beau tapis.

Vois-tu où l'on vend des olives dans d'énormes paniers ?

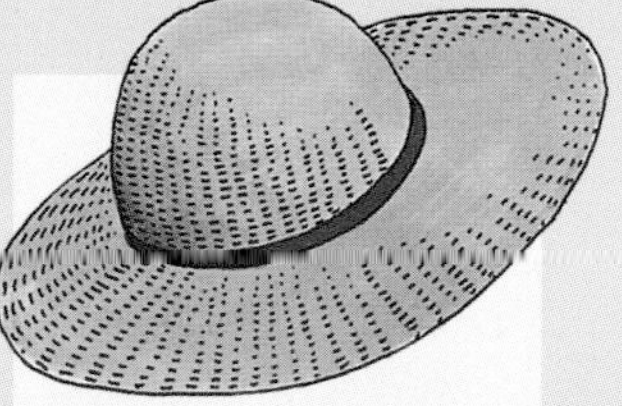

À la prochaine étape, le soleil tape dur. Trouve-toi donc un grand chapeau de paille.

Parfois, le vendeur offre à l'acheteur un verre de thé à la menthe très chaud. Trouves-en sept sur l'illustration.

Pour se maquiller, les femmes achètent des fards en poudre, qu'elles rangent dans des flacons en bois de cèdre. En vois-tu douze ici ?

États-Unis... 16 h... 21 °C... air conditionné

La grand-tante Yvonne a fait des achats. Où est-elle ?

Au centre commercial

Pour se reposer, il y a de nombreux bancs. Essaie d'en trouver huit.

Au bureau d'accueil, on aide les gens à trouver ce qu'ils cherchent. Le vois-tu ?

Le centre est si grand qu'on se perd facilement. Cherche un enfant sans sa maman.

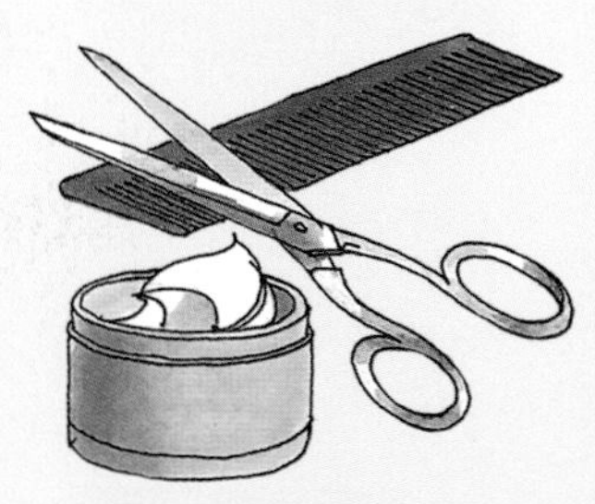

On peut se faire couper les cheveux au salon de coiffure. Le vois-tu ?

Dans ce grand centre commercial plein de monde, on peut tout acheter sans mettre le nez dehors. On peut aussi prendre un verre ou se restaurer. Souvent, les gens n'y viennent que pour discuter entre amis.

Cerfs-volants

Équipement de sport

Livres

Chapeaux de cow-boy

Jeans

Chaussures

Fleurs

Gâteaux

Trouve où l'on vend toutes ces choses.

Vois-tu les quatre danseuses en plein spectacle ?

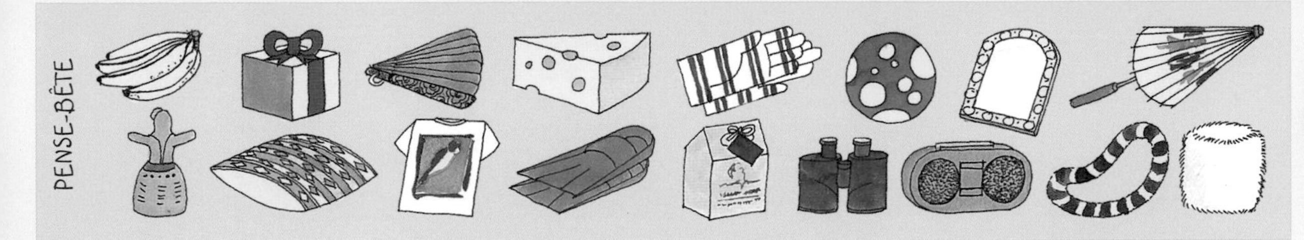

Les murs sont joliment décorés de peintures, ou fresques. En vois-tu une ?

Pour aller d'un étage à l'autre, on peut emprunter un ascenseur vitré. Le vois-tu ?

Trouve cinq téléphones.

Des gardiens veillent à la sécurité dans le centre. Trouves-en dix.

À la prochaine étape, tu vas à l'hôtel. Trouve une valise neuve pour y mettre toutes tes affaires.

On peut acheter toutes sortes de choses à manger. Vois-tu où l'on vend celles-ci ?

Fontaines, plantes vertes et statues recréent un décor d'extérieur. Il y a vingt-quatre statues de flamants roses.

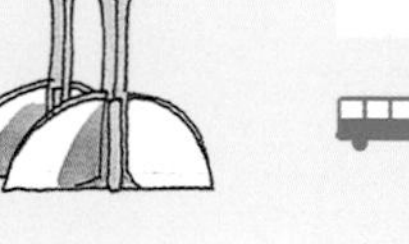

Alpes... 15 h... 7 °C... neigeux

La grand-tante Yvonne ne skie pas très bien. Où est-elle ?

Au ski

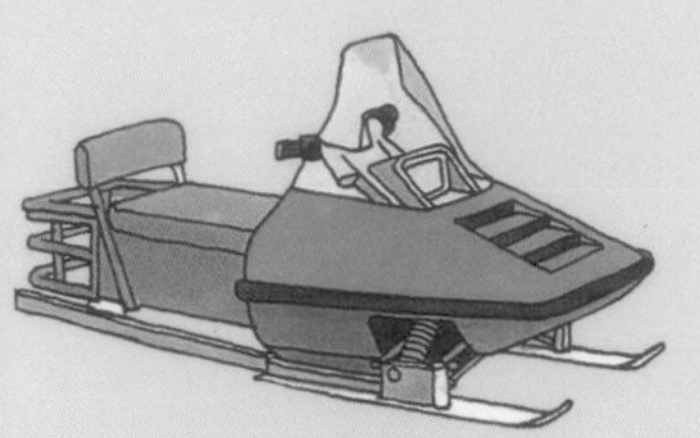

Trouve cinq motoneiges, petits véhicules sur skis.

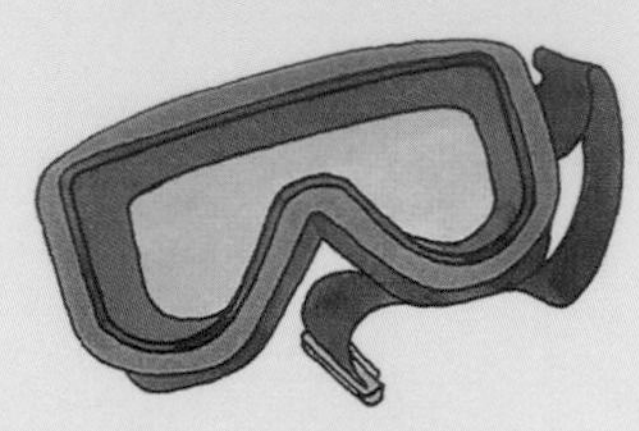

Les lunettes de ski protègent du soleil. Vois-tu quelqu'un qui a cassé les siennes ?

Télésiège

Cabine de téléphérique

Les télésièges et les téléphériques emmènent en haut des pentes raides. Trouves-en quatre de chaque.

On peut faire une promenade en traîneau tiré par un cheval. Il y en a trois.

Cette station de sports d'hiver bondée est l'un des endroits les plus animés de ton tour du monde. À part le ski, toutes sortes d'activités de neige s'offrent à toi. Mais fais bien attention de ne pas heurter quelqu'un !

Pour les plus jeunes qui ne skient pas, il y a des jardins d'enfants. Trouve deux groupes d'enfants qui font un bonhomme de neige.

Les surfeurs utilisent une planche au lieu de skis. En vois-tu dix ?

Planche

Il est possible de louer des skis. Trouve un magasin de location de skis.

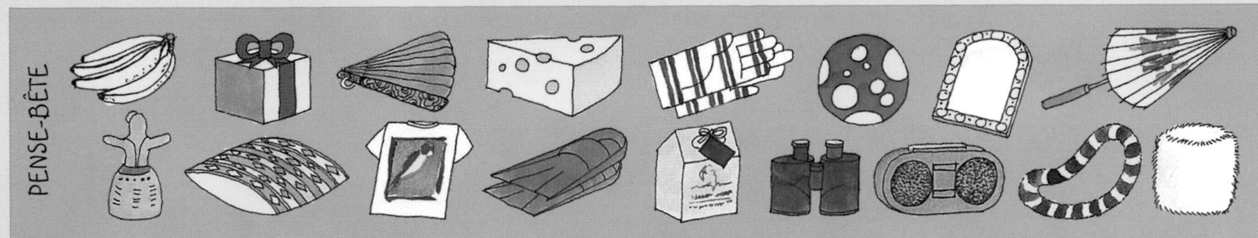

Les skieurs en parapente sautent d'un versant et planent jusqu'au sol. Il y en a trois.

Les moniteurs, des professeurs de ski, donnent des leçons. Cherches-en deux.

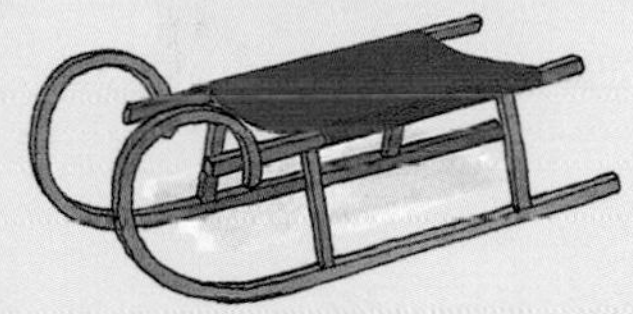

On peut glisser en luge sur les pentes neigeuses. Trouves-en neuf

Pour remonter les pentes douces, on prend un téléski. Trouve trois skieurs sur un téléski.

Certains préfèrent l'escalade. Trouve trois alpinistes avec leur pic à glace.

Pic à glace

Sur les lacs gelés, on peut faire du patin à glace. Cherche trente patineurs.

Des deltaplanes sillonnent le ciel. Trouves-en trois.

À la prochaine étape, tu vas faire toutes sortes d'achats. Ce sac te sera utile. Trouve-le.

Afrique... 14 h... 30 °C... ensoleillé

En safari-photo

La grand-tante Yvonne s'apprête à prendre une photo. Où est-elle ?

Quand ils repèrent un animal mort, les vautours viennent le dévorer. En vois-tu quatorze ?

Les babouins vivent en troupes. Ils s'occupent tous des petits. Trouves-en vingt-trois.

Vois-tu deux baobabs ? Ces arbres stockent de l'eau dans leur tronc.

Cinq guépards chassent. Ils s'approchent sans bruit de leur proie.

Trouve trois agames, des lézards qui se faufilent dans l'herbe ou entre les rochers.

Tu es en excursion dans les grandes plaines africaines. Il fait chaud et sec. Tu as rejoint d'autres touristes pour faire un safari-photo. Vous observez les animaux. Tu as peine à croire qu'autant d'animaux si étonnants puissent vivre au même endroit.

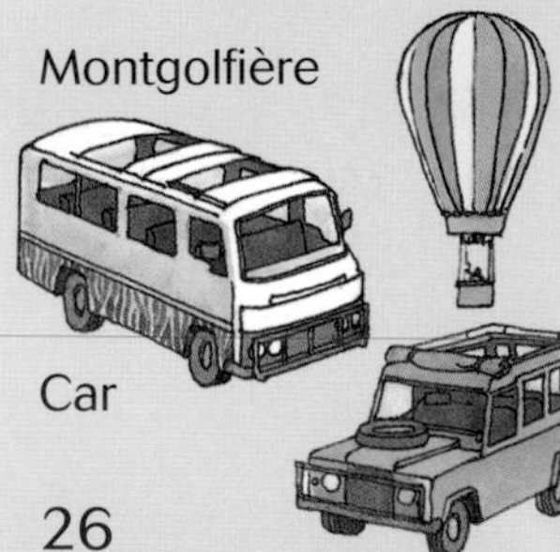

En safari, on voyage dans des véhicules différents. En vois-tu trois de chaque ici ?

Les autruches, les plus gros oiseaux du monde, ne volent pas, mais courent très vite. Trouves-en quinze.

Les termites sont des insectes qui bâtissent de hauts nids en terre. Trouve quatre termitières.

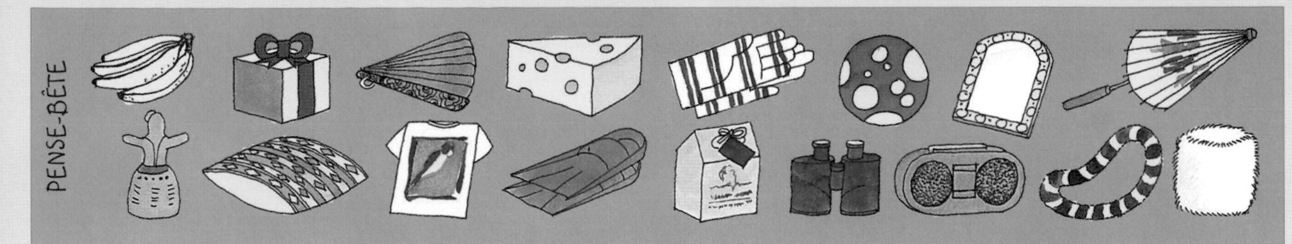

Les tisserins bâtissent des nids compliqués à l'aide de brins d'herbe. Trouves-en dix.

Les lions aiment s'allonger à l'ombre. En vois-tu neuf ?

Zèbre

Gazelle de Thomson

Gnou

Ces animaux broutent toute la journée. Trouve quinze individus de chaque.

Les chercheurs viennent ici étudier la faune. En vois-tu quatre ?

Les lycaons chassent en groupes appelés meutes. En vois-tu neuf ?

Trouve dix-sept éléphants. Ces animaux mangent beaucoup.

Pour boire, les girafes baissent leur long cou. Essaie d'en trouver treize.

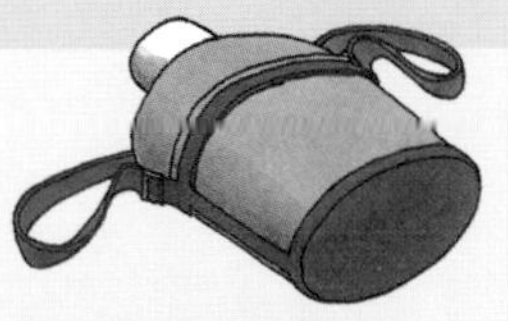

La prochaine étape est encore plus aride. Tu dois trouver une gourde d'eau.

La grand-tante Yvonne se fait plein d'amis. La vois-tu dans la foule ?

En ville

Pour le nouvel an, on se déguise et on défile dans les rues. Trouve un costume de dragon.

On emporte ces animaux au marché. Les vois-tu ?

Voici une jolie ville, avec de beaux jardins et un canal le long duquel on peut se promener. En flânant, tu observes les habitants qui se préparent pour la fête du nouvel an. Ils font leurs achats et décorent les rues.

En Chine, on trouve encore des trains à vapeur, mais aussi des trains modernes. Où est cette locomotive à vapeur ?

La plupart des Chinois sont des paysans. Trouve dix paysans qui cultivent du riz dans des rizières.

Le thé pousse un peu partout en Chine. C'est une boisson populaire. Cherche quelques théières à vendre.

On circule surtout à bicyclette. Essaie d'en trouver vingt.

Le fil de soie est fabriqué par une chenille, le ver à soie. On le tisse pour en faire des habits. Trouve des rouleaux de tissu en soie.

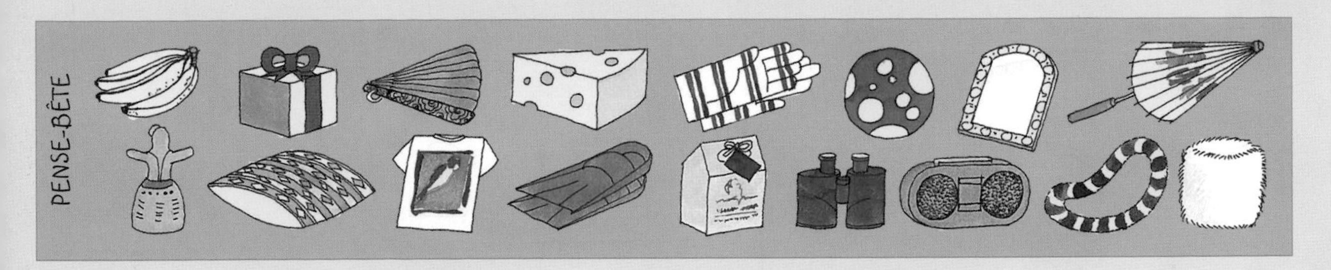

Les pandas géants, très rares, ne vivent à l'état sauvage qu'en Chine. Vois-tu celui en peluche ?

On élève parfois des oiseaux en cage. Il y en a sept.

Un groupe de personnes pratique le taï chi, une sorte de gymnastique.

On fabrique beaucoup d'objets en bambou. Vois-tu trois voitures d'enfant comme celle-ci ?

À la prochaine étape, il y a de la neige. Trouve une pelle pour déblayer la route.

Une pagode est un genre de tour haute. En général, elle fait partie d'un temple. En vois-tu une ?

Il y a neuf personnes qui transportent des choses dans des paniers suspendus à un bâton placé en travers des épaules.

Trouve trois cerfs-volants.

La grand-tante Yvonne est assise à l'ombre. Où est-elle ?

En forêt tropicale

Les Ashaninka naviguent sur l'Amazone en pirogue, et ils y pêchent. En vois-tu neuf ?

Tu as remonté le fleuve Amazone en pirogue. Tu arrives au cœur de la forêt. Il fait chaud et humide. Les Indiens qui habitent ici s'appellent les Ashaninka. Ils vivent de la cueillette, de la chasse et de la culture.

Cherche la fillette avec des graines de rocouyer. Les Indiens en font une teinture rouge, dont ils s'enduisent le visage.

Les mères portent leurs enfants en bandoulière. En vois-tu neuf ici ?

De magnifiques oiseaux peuplent la forêt. Certains sont domestiqués. Repère une fillette avec son perroquet.

L'aliment principal provient d'une plante, le manioc, dont on fait de la farine. Trouve quelqu'un qui broie du manioc avec un pilon.

Les hommes chassent avec des arcs et des flèches. Il y a onze arcs.

Les grands toits sont recouverts de feuilles de palmiers. Vois-tu quelqu'un qui répare un toit ?

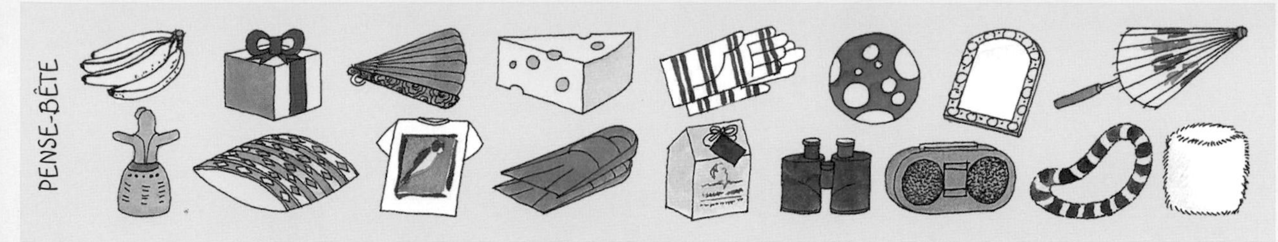

Trouve dix-huit singes hurleurs roux. Ils vivent en groupes dans la forêt.

Les Indiens dorment dans des hamacs. En vois tu sept ?

Avec le bois, on fait des maisons, des armes, des outils, des échelles et des pirogues. Qui coupe du bois ?

Deux enfants tuent des oiseaux au lance-pierre.

Tu vas ensuite à une grande fête. Trouve une guirlande de plumes.

Les maisons sont construites sur pilotis. Pour entrer, il faut monter sur une échelle. Trouve deux échelles.

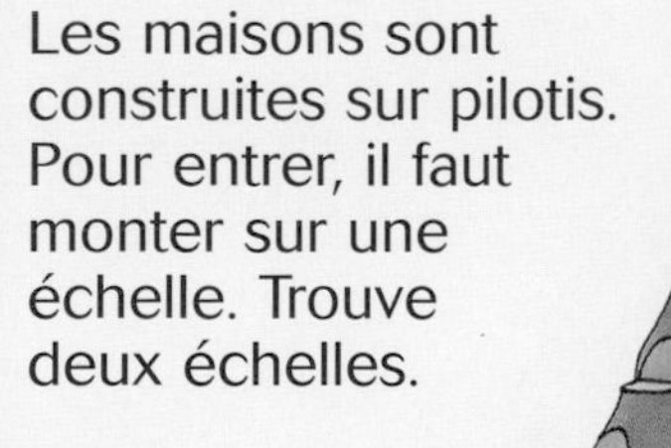

Les Ashaninka cultivent le coton pour fabriquer habits, bandoulières et hamacs. Deux personnes pratiquent chacune des activités ci-contre.

Filage du coton

Tissage

Grèce... 13 h... 27 °C... ensoleillé

La grand-tante Yvonne est occupée à explorer l'île. Où est-elle ?

Dans les îles

Trouve huit ânes, qui transportent les marchandises.

On fabrique des copies modernes de vases antiques. Trouve six vases comme celui-ci.

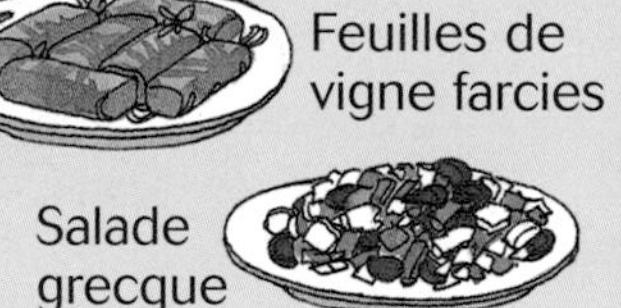

Cet instrument de musique est un bouzouki. En vois-tu huit ?

Yaourt et banane

Feuilles de vigne farcies

Salade grecque

Les restaurants servent des plats délicieux. Qui a commandé ceux-ci ?

Trouve trois églises. Leur toit est souvent en forme de dôme.

Cette jolie île forme une halte intéressante dans ton tour du monde. Tu peux flâner dans les ruelles venteuses ou monter jusqu'au château. Il y a beaucoup de monde ; certains sont des touristes, d'autres vivent là toute l'année.

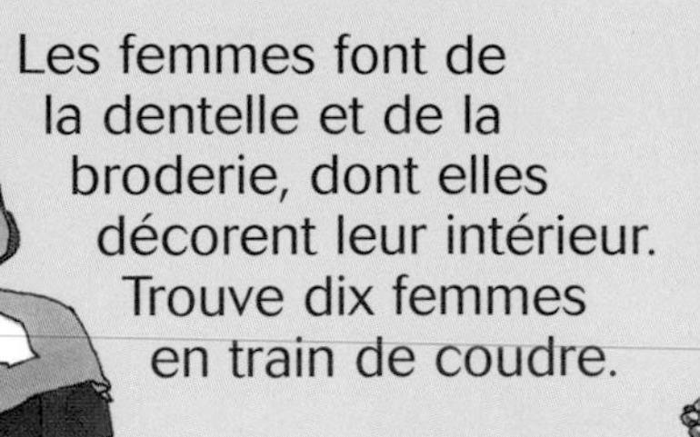

Les femmes font de la dentelle et de la broderie, dont elles décorent leur intérieur. Trouve dix femmes en train de coudre.

Sacs en cuir

Colliers

Cartes postales

Vois-tu où l'on vend ces objets ?

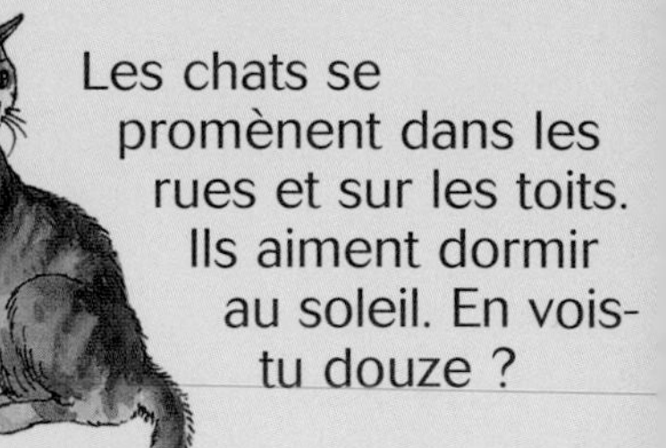

Les chats se promènent dans les rues et sur les toits. Ils aiment dormir au soleil. En vois-tu douze ?

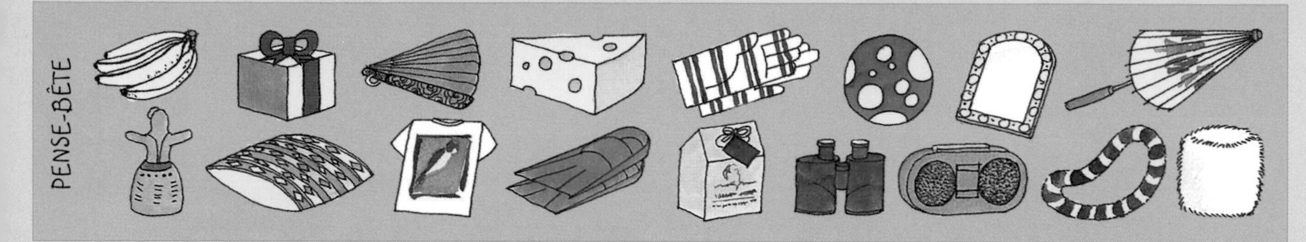

Trouve des ruines. On en apprend beaucoup sur l'histoire grecque en les visitant.

On ne peut quitter l'île qu'en bateau. Cherche cinq barques avec des rames sur l'image.

On ne voit que très rarement des phoques moines de la Méditerranée. Cherches-en deux.

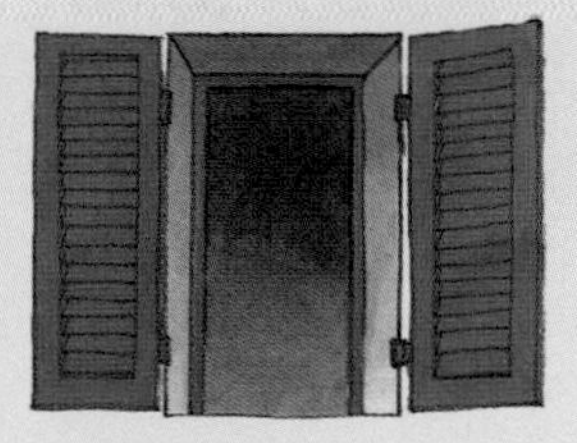

Quand les volets sont fermés, les maisons restent fraîches. Trouve onze fenêtres avec des volets rouges.

Dans les îles, on vit de la pêche. Trouve quatre bateaux et quatre paniers comme ceux-ci.

Vois-tu ces artisans au travail ?

Ferblantier

Cordonnier

Boulanger

À l'étape suivante, tu vas voir des animaux. Trouve un carnet et des crayons pour les dessiner.

La grand-tante Yvonne est prise dans les embouteillages. Où est-elle ?

Dans les rues

Des singes, les langurs, errent dans la ville en quête de nourriture. En vois-tu vingt ici ?

Les trains sont bondés. Parfois, on voyage sur le toit. Cherche un train.

Pousse-pousse à bicyclette

Pousse-pousse à scooter

Les pousse-pousse servent de taxis. Trouves-en huit de chaque sorte.

Pour dire bonjour, on joint les mains et on incline la tête. Il y a douze paires de personnes qui se saluent.

Tu te trouves maintenant dans une ville indienne en pleine effervescence. Les rues sont embouteillées. La foule est immense. Beaucoup de gens riches vivent ici, mais d'autres sont si pauvres qu'ils doivent mendier.

Pour protéger la ville des envahisseurs, on a construit une forteresse il y a plusieurs siècles. La vois-tu ?

On fait le thé dans un grand récipient avec du lait, du sucre, et souvent des épices. Où est le vendeur de thé ?

Vois-tu seize corneilles ?

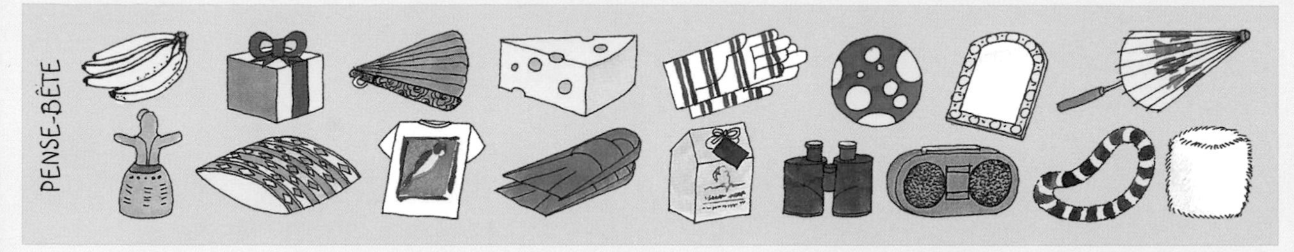

Les Indiens aiment beaucoup aller au cinéma. Cherche cette affiche.

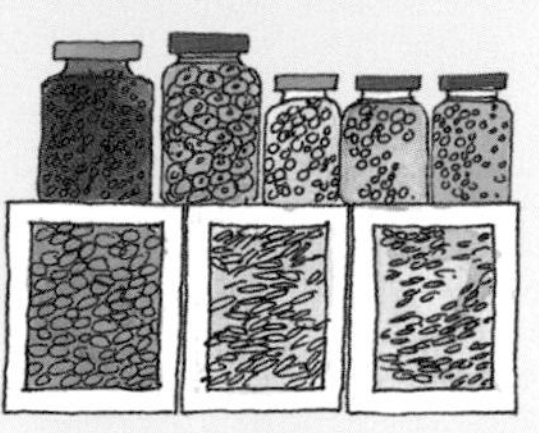

Vois-tu où l'on vend ces délicieuses confiseries ?

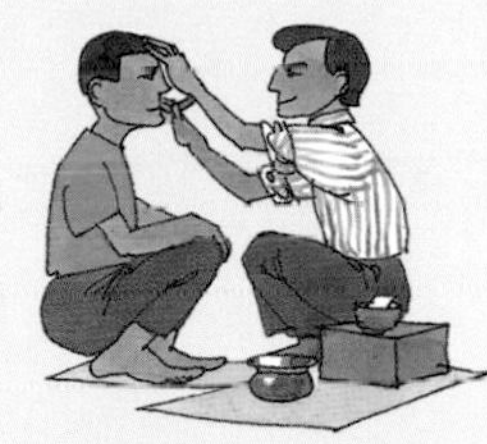

Se faire raser dans la rue ne coûte pas cher. Trouve le barbier.

Le puri est une sorte de pain gonflé à la friture. Trouve un homme qui prépare des puris.

À l'étape suivante, le sol est mouillé. Tu as besoin de ces chaussures pour ne pas glisser.

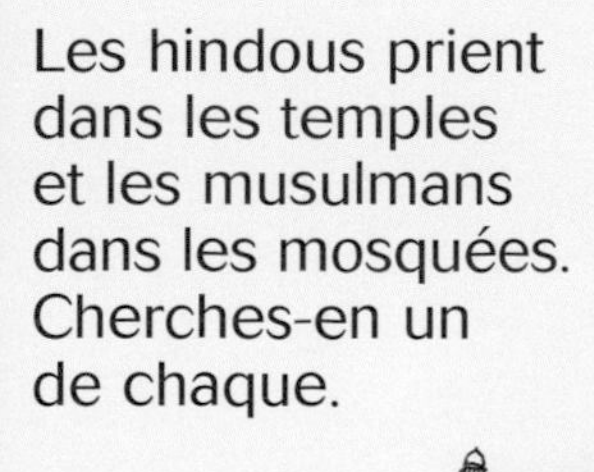

Les hindous prient dans les temples et les musulmans dans les mosquées. Cherches-en un de chaque.

La plupart des Indiens sont hindous. Pour eux, les vaches sont sacrées, et elles errent à leur guise. Trouve huit vaches.

Sibérie... 12 h 30... -20 °C... il neige

La grand-tante Yvonne admire un renne. Où est-elle ?

À la course de rennes

Les huskys sont des chiens de traîneau à épaisse fourrure. Trouves-en trente-deux.

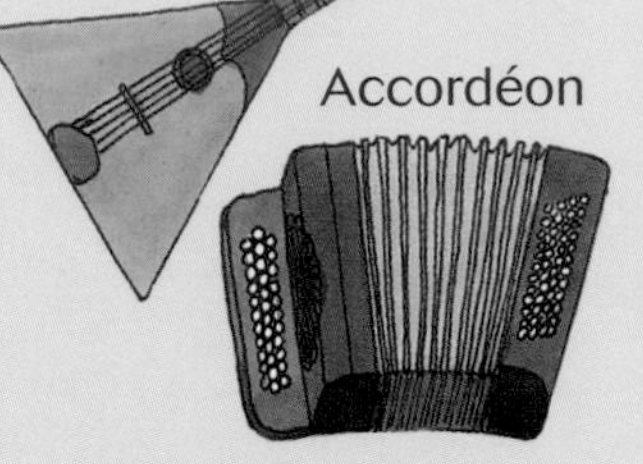

Balalaïka

Accordéon

Pendant la course, on joue de la musique. Trouve six de chacun de ces instruments.

Trouve vingt barils de pétrole remplis avec la glace du fleuve. En fondant, elle donne de l'eau.

La gare et l'aéroport sont loin. Les gens se déplacent souvent en hélicoptère. En vois-tu deux ?

Après un long voyage, te voici dans le nord, en Sibérie. C'est la fin de l'hiver, long et froid, et pour la fêter, les habitants organisent des courses de rennes sur le fleuve gelé. Avec la peau de ces animaux, ils se font aussi des habits chauds.

Parfois, les gardiens de troupeaux suivent leurs bêtes qui cherchent à manger. Ils vivent alors dans des tentes, les chums. Il y en a trois.

Les gens peuvent patiner sur les rivières gelées. Trouve quinze patineurs sur l'illustration.

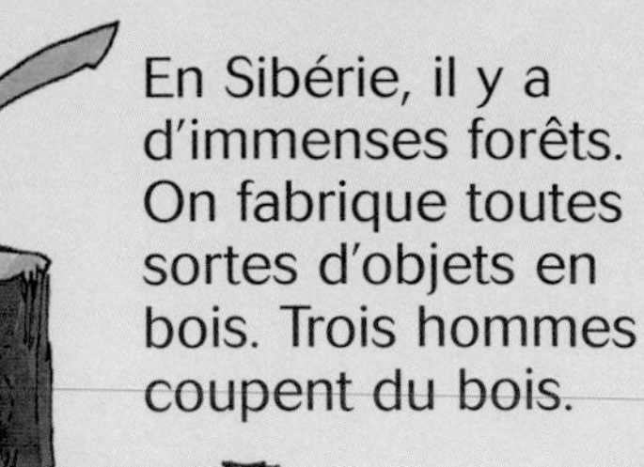

En Sibérie, il y a d'immenses forêts. On fabrique toutes sortes d'objets en bois. Trois hommes coupent du bois.

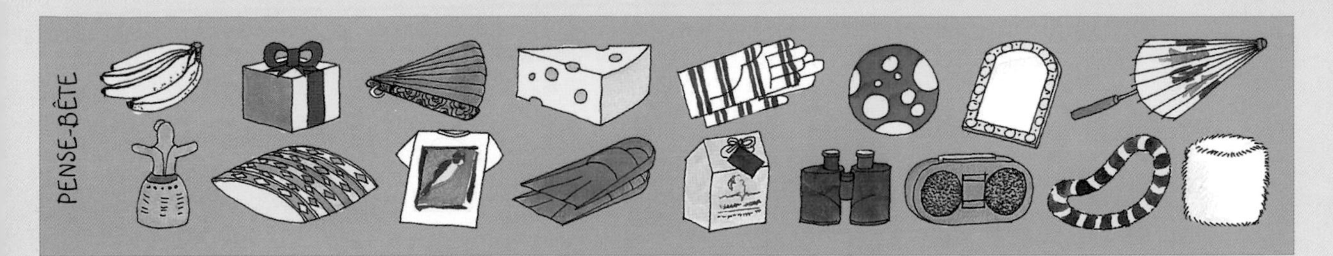

Le samovar, un récipient en métal, sert à faire le thé. En vois-tu un ?

Les gardiens de troupeaux sculptent des objets dans l'os. Vois-tu un sculpteur au travail ?

Ours, loups, élans et zibelines vivent dans les forêts. Trouve un ours en peluche.

Sur la neige, il est souvent plus facile de skier que de marcher. Vois-tu dix skieurs ?

À la prochaine étape aussi, il fait froid et il neige. Trouve des oreillettes en fourrure.

Le quatre-quatre est adapté aux sols glacés. On utilise la motoneige pour les petits trajets. Trouves-en six de chaque.

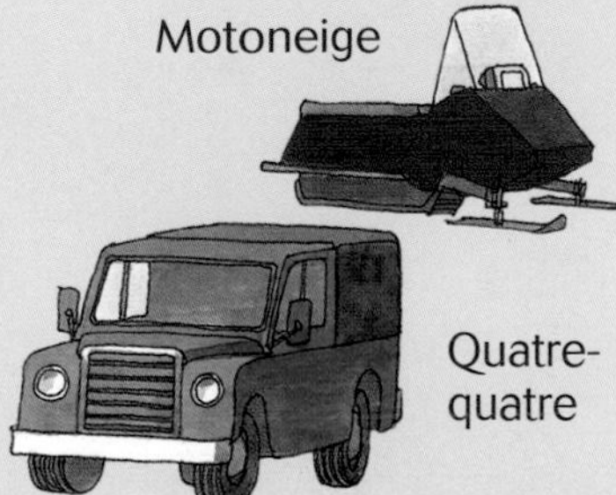

Pour la course, les rennes portent des harnais de couleurs vives. Cherche une personne qui harnache un renne.

En croisière

Vois-tu M. Choy qui essaie son bonnet de fourrure ?

Minouche semble aimer son coussin jaune. Essaie de la trouver.

Pour la dernière étape de ton tour du monde, tu fais une croisière sur ce paquebot de luxe. À bord, les activités sont nombreuses. Ta grand-tante Yvonne t'a réservé une surprise : elle a invité tous tes amis et parents. Les vois-tu avec leurs cadeaux ?

La petite Anne grignote une banane. La vois-tu sur l'image ?

La grand-tante Ève adore sa jolie guirlande de fleurs. Où est-elle ?

L'ombrelle peinte plaît beaucoup à Rosie. La vois-tu parmi la foule ?

Cherche Jacques et ses sels de bain.

Josiane se sert de son éventail pour se rafraîchir. Trouve-la.

Oncle Michel observe la mer à travers ses jumelles bleues. Le vois-tu ?

Le grand-oncle François ne peut résister à ses chocolats. Où est-il donc ?

Tante Mireille s'amuse avec ses palmes vertes. Cherche bien et tu la verras.

Trouve Max : il a mis son nouveau T-shirt pour jouer avec ses amis.

Cherche le docteur Parekh qui parle à quelqu'un de sa statue d'argile.

Trouve les jumeaux, qui écoutent leur radio ensemble.

Repère Sacha avec ses gants rayés.

Zazou grignote son bout de fromage. La vois-tu ?

Madame Choy est enchantée de son joli miroir. La vois-tu ?

Médor joue avec son ballon à pois. Le vois-tu ?

Ton tour du monde se termine. Pour remercier ta grand-tante Yvonne, tu lui as acheté une robe à fleurs. Cherche-la.

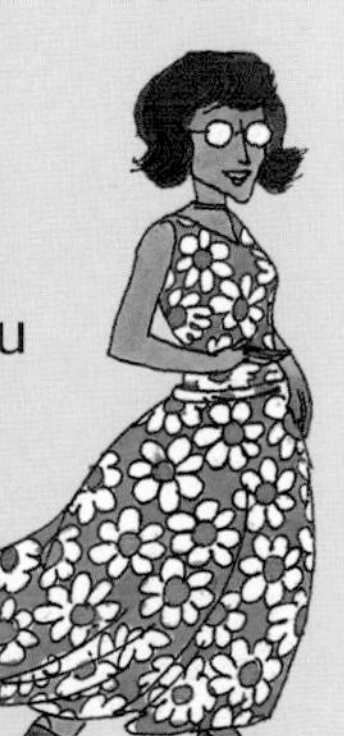

Le tour du monde

Les numéros sur cette carte t'indiquent l'itinéraire que tu aurais dû suivre et les moyens de locomotion que tu aurais dû emprunter à chaque étape.

Questions

Pour répondre à ces questions, tu dois revenir en arrière dans le livre, sans oublier les bandes grises en haut de chaque double page. Les réponses se trouvent à la page 48.

1. Quel est l'endroit le plus froid que tu as visité ?

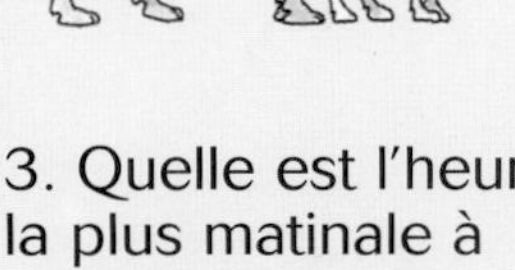

2. Quel est l'endroit le plus chaud que tu as visité ?

3. Quelle est l'heure la plus matinale à laquelle tu t'es levé ?

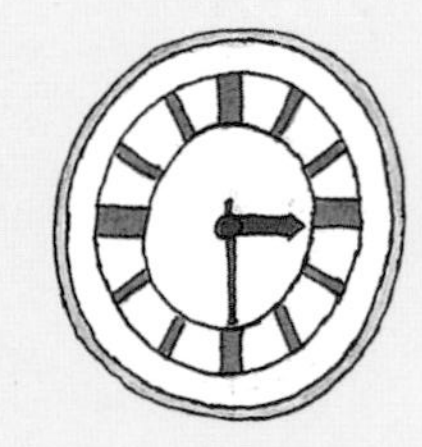

4. À 15 h 30, où te trouvais-tu donc ?

5. Combien de régions froides as-tu visitées ?

6. Combien de régions chaudes as-tu visitées ?

7. Combien de fois as-tu emprunté ces moyens de locomotion ?

8. Lequel de ces bâtiments est un hôtel ?

A B C D E F

9. Laquelle de ces personnes sauve la vie des autres ?

A B C D E F G

10. Lequel de ces plats pourrait-on t'offrir en plein désert ?

A B C D E F

11. Laquelle de ces personnes essaie de se protéger du soleil ?

A B C D E F

À l'aéroport 4-5

Écrans 1 2 3 4 5 6 7 8 9 10 11
Quelqu'un qui chète des lunettes de soleil 12
Passerelle couverte 13
Quelqu'un qui mange 14
Petites voitures 15 16
Chat 17
Sac fouillé 18
Couteau dans la valise 19
Passager soumis au détecteur de métal 20
Cabines téléphoniques 21 22 23 24 25 26 27 28
Hôtesses et stewards 29 30 31 32 33 34 35 36 37 38
Tour de contrôle 39
Drapeau rouge 40
Bureau de change 41
Chariots 42 43 44 45 46 47 48
Passager avec un billet déchiré 49
Soute à bagages 50
Grosse boîte de chocolats 51
Grand-tante Yvonne 52

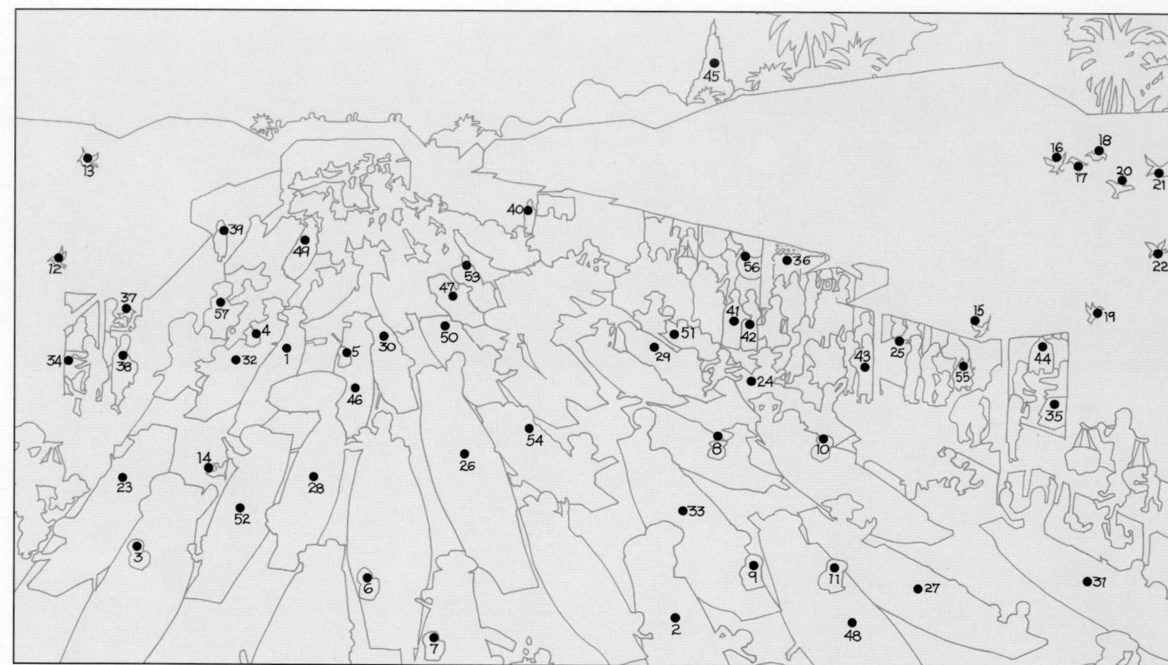

Au marché flottant 6-7

Bateaux où acheter des chapeaux 1 2
Balances 3 4 5 6 7 8 9 10 11
Souïmangas 12 13 14 15 16 17 18 19 20 21 22
Bateaux dans lesquels on cuisine ce qu'on vend 23 24
Maïs qu'on fait griller 25
Bateaux remplis de pastèques 26 27
Bateaux remplis de noix de coco 28 29
Bateaux remplis d'ananas 30 31
Bateaux remplis de citrons verts 32 33
Table en bois 34
Coussins brodés 35
Colliers en argent 36
Canards en bois laqué 37
Bonzes 38 39 40 41 42 43
Veste en soie 44
Temple bouddhiste 45
Bateaux où acheter du poisson 46 47 48
Bateaux où acheter des ustensiles de cuisine 49 50 51
Bateaux où acheter des fleurs 52 53 54
Poupées 55
Ombrelle peinte 56
Grand-tante Yvonne 57

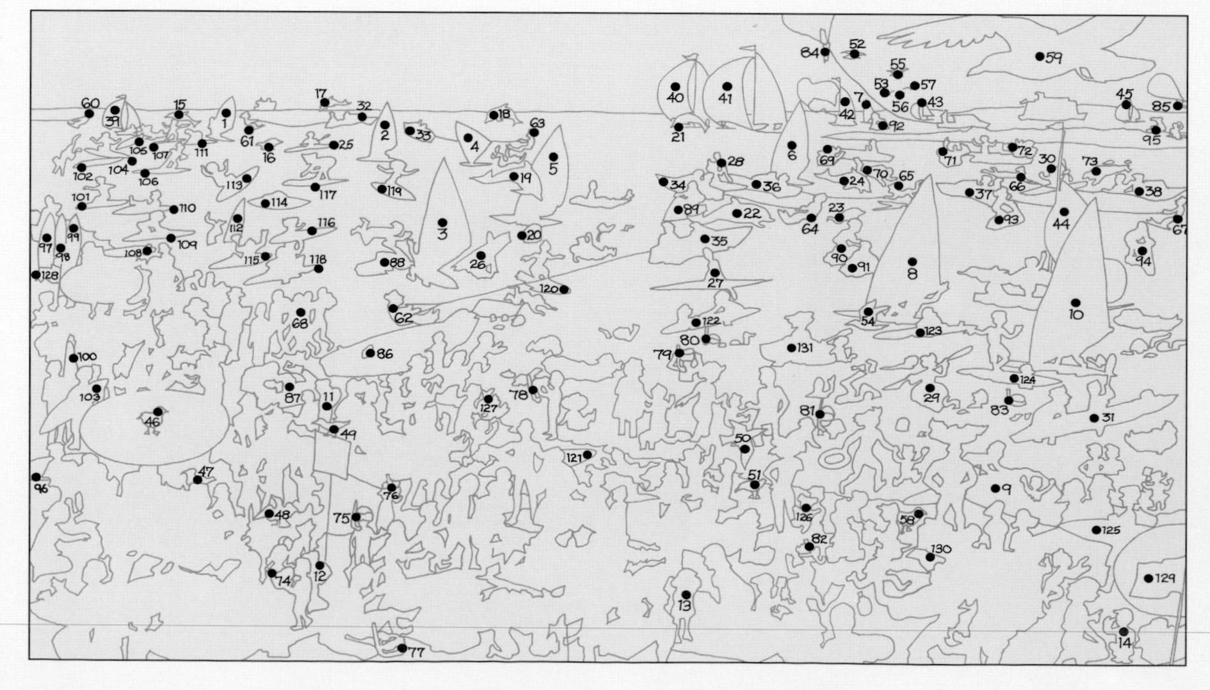

À la plage 8-9

Planches à voile 1 2 3 4 5 6 7 8 9 10
Personnes qui se mettent de l'écran total 11 12 13 14
Dauphins 15 16 17 18 19 20 21 22 23 24
Kayaks 25 26 27 28 29 30 31
Hors-bord 32 33 34 35 36 37 38
Voiliers 39 40 41 42 43 44 45
Mouettes 46 47 48 49 50 51 52 53 54 55 56 57 58 59
Skieurs nautiques 60 61 62 63 64 65 66 67
Sauveteurs 68
Plongeurs 69 70 71 72 73
Tubas 74 75 76 77 78 79 80 81 82 83
Parachutistes 84 85
Appareil photo 86
Jet-skis 87 88 89 90 91 92 93 94 95
Surfeurs 96 97 98 99 100 101 102 103 104 105 106 107 108 109 110 111 112 113 114 115 116 117 118 119 120 121 122 123 124 125
Koala 126
Kangourou 127
Drapeaux 128 129
Palmes vertes 130
Grand-tante Yvonne 131

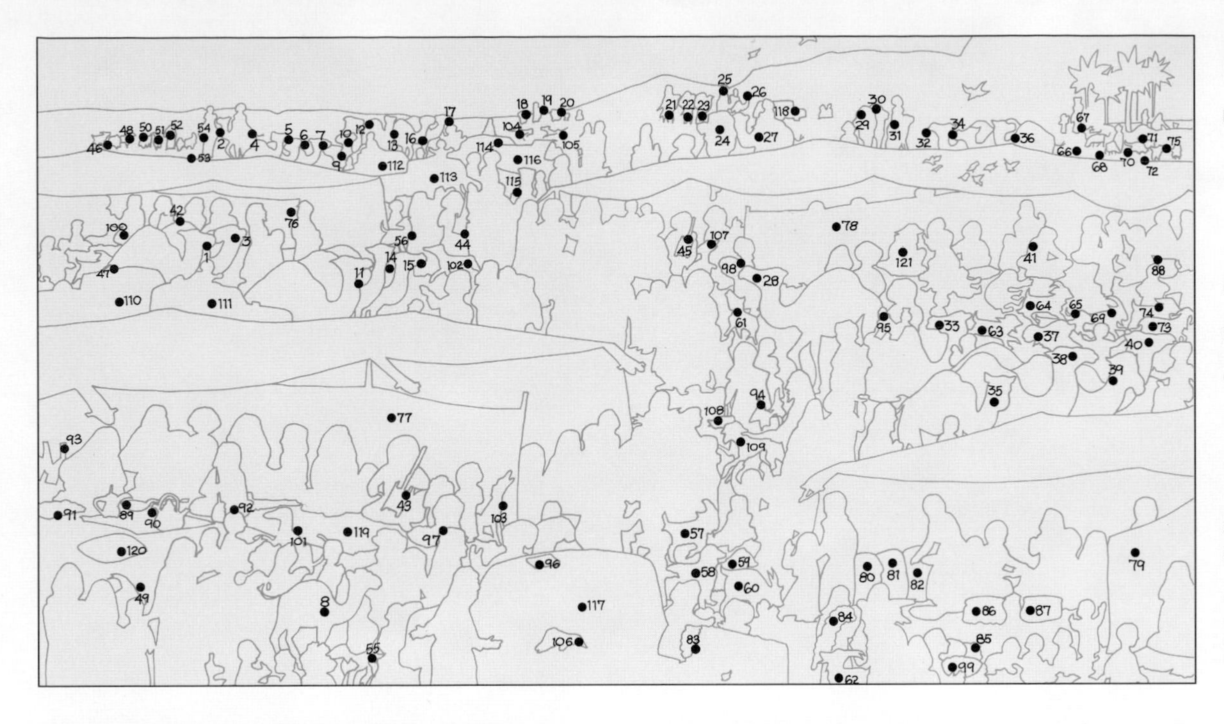

Dans le désert 10-11

Dromadaires 1 2 3 4 5 6 7 8 9 10 11 12 13 14 15 16 17 18 19 20 21 22 23 24 25 26 27 28 29 30 31 32 33 34 35 36 37 38 39 40

Femme qui fait du pain 41

Rababs 42 43 44 45

Chèvres 46 47 48 49 50 51 52 53 54 55 56 57 58 59 60 61 62 63 64 65 66 67 68 69 70 71 72 73 74 75

Sahahs 76 77 78 79

Sacs d'aliments secs 80 81 82

Chapelets d'oignons 83 84 85

Pots en métal 86 87 88

Cafetière 89

Poêle 90

Verres à café 91

Pilon et mortier 92

Selles de dromadaire 93 94 95

Livre 96

Bols de lait de dromadaire 97 98 99

Sloughis 100 101 102 103 104 105 106 107 108 109

Camionnettes 110 111 112 113 114 115 116 117 118

Tapis 119

Coussin jaune 120

Grand-tante Yvonne 121

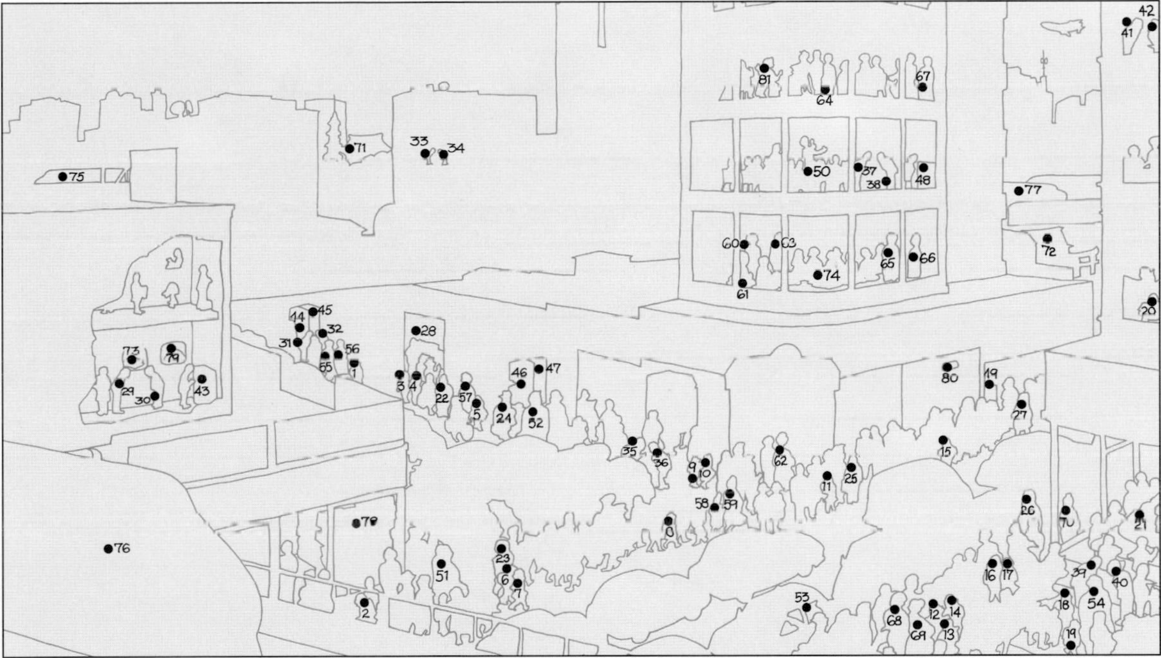

Dans le centre-ville 12-13

Écoliers 1 2 3 4 5 6 7 8 9 10 11 12 13 14 15 16 17 18 19 20

Endroit où l'on vend des sushis 21

Personnes portant un masque 22 23 24 25 26 27

Magasin où l'on vend du poulet 28

Personnes se saluant 29 30 31 32 33 34 35 36 37 38 39 40 41 42

Distributeurs 43 44 45 46 47 48 49

Bar à karaoké 50

Lutteurs de sumo 51 52 53 54

Kimonos 55 56 57 58 59 60 61 62 63 64 65 66 67 68 69 70

Temple 71

Sanctuaire 72

Serviette 73

Restaurant traditionnel 74

Trains-obus 75 76 77

Magasin où l'on vend des ordinateurs 78

Quelqu'un qui dort 79

Radio 80

Grand-tante Yvonne 81

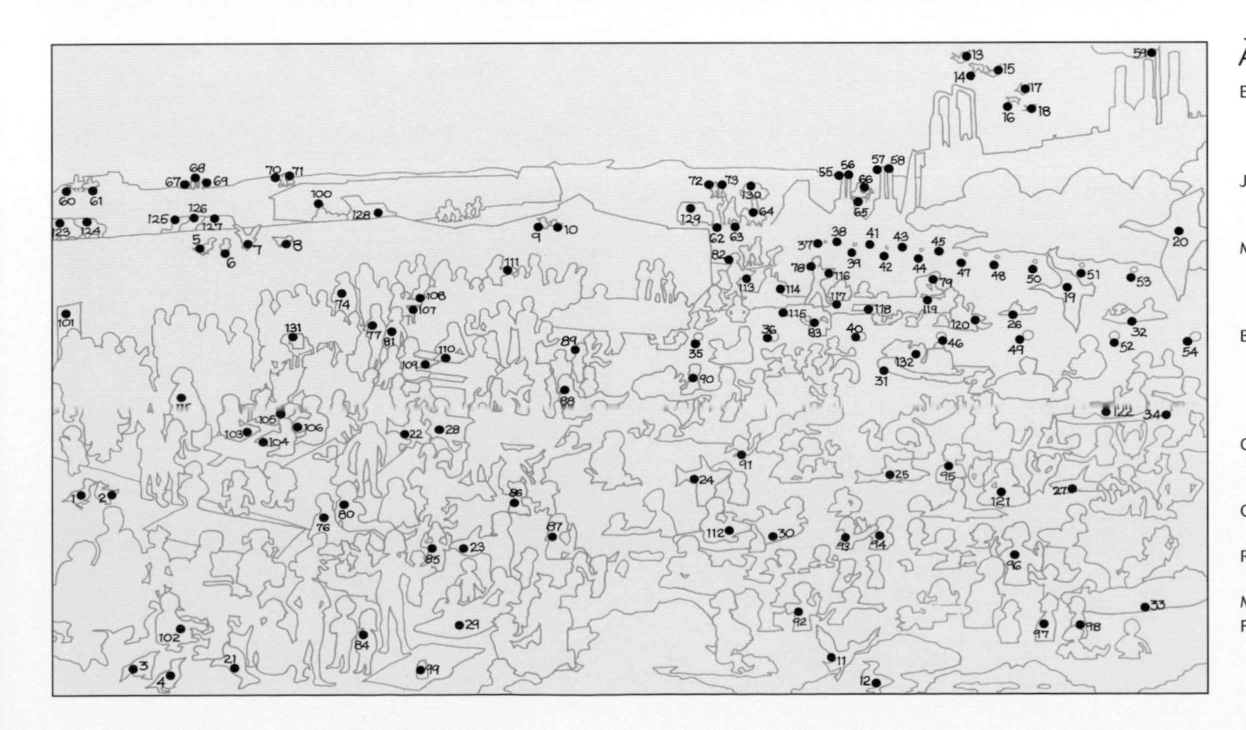

À la piscine 14-15

Eiders 1 2 3 4 5 6 7 8 9 10 11 12 13 14 15 16 17 18 19 20

Jouets en forme de requin 21 22 23 24 25 26 27

Matelas pneumatiques 28 29 30 31 32 33 34

Bouées 35 36 37 38 39 40 41 42 43 44 45 46 47 48 49 50 51 52 53 54

Cheminées rejetant de la vapeur 55 56 57 58 59

Cavaliers 60 61 62 63 64 65 66

Randonneurs 67 68 69 70 71 72 73

Médecin 74

Femme qui a acheté plein de tubes de crème 75

Serveurs 76 77 78 79

Serveuses 80 81 82 83

Personnes qui se sont enduites le visage de boue 84 85 86 87 88 89 90 91 92 93 94 95 96 97 98

Pilules contre le mal de mer 99

Client de l'hôtel 100

Vestiaire des femmes 101

Plateaux-repas 102 103 104 105 106 107 108 109 110 111 112 113 114 115 116 117 118 119 120 121 122

Quatre-quatre 123 124 125 126 127 128 129 130

Sels de bain 131

Grand-tante Yvonne 132

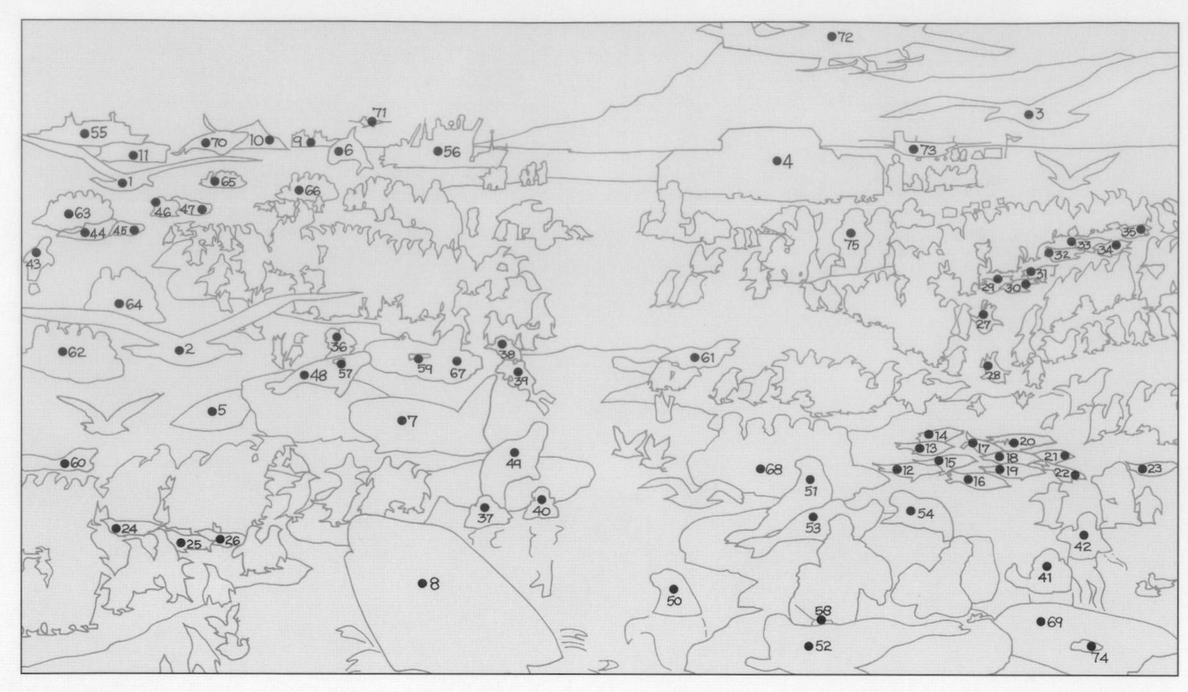

Sur la banquise 16-17

Albatros 1 2 3
Station scientifique 4
Orques 5 6 7 8
Iceberg en forme de château 9
Iceberg en forme de pyramide 10
Iceberg en forme de temple grec 11
Manchots qui nagent 12 13 14 15 16 17 18 19 20 21 22 23
Manchots qui font du toboggan 24 25 26 27 28 29 30 31 32 33 34 35
Plongeurs 36 37 38 39 40 41 42
Phoques crabiers 43 44 45 46 47 48 49 50 51 52 53 54
Bateau de croisière 55
Navire océanographique 56
Émetteurs 57 58
Lampe de poche 59
Léopards de mer 60 61
Canots pneumatiques 62 63 64 65 66 67 68 69
Baleine à bosse 70
Avions 71 72 73
Gants rayés 74
Grand-tante Yvonne 75

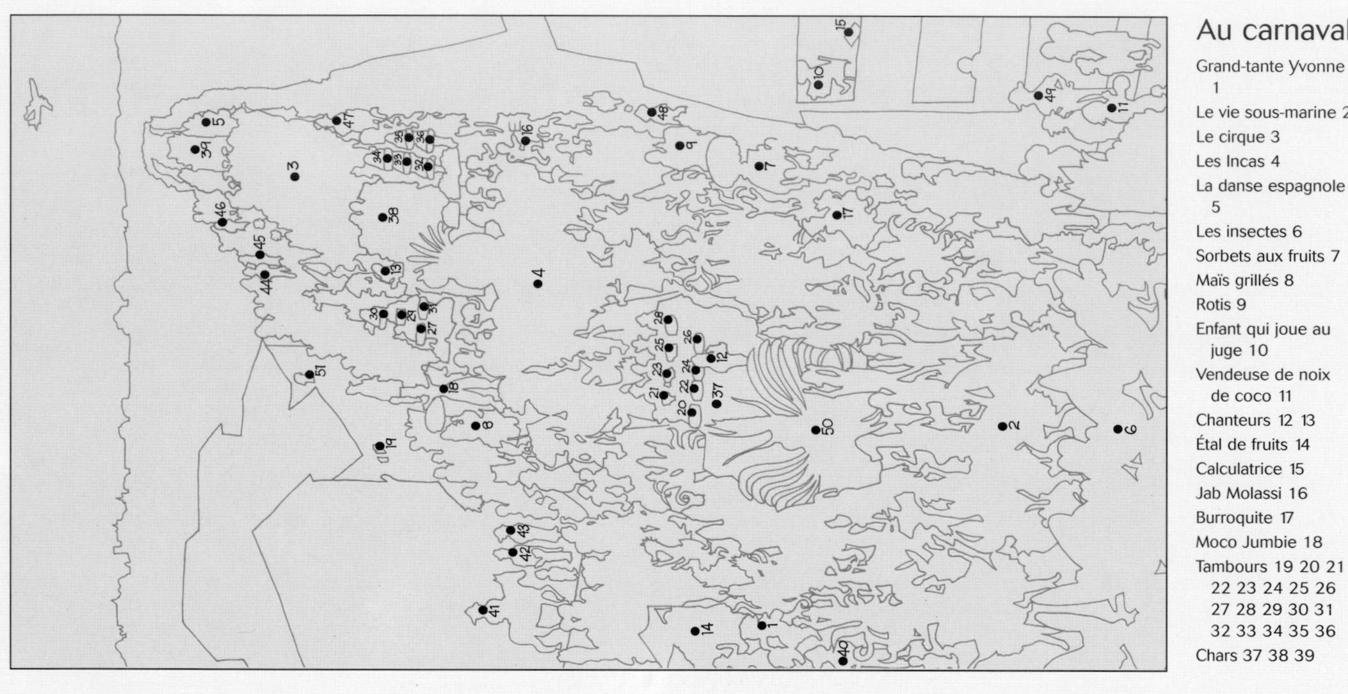

Au carnaval 18-19

Grand-tante Yvonne 1
Le vie sous-marine 2
Le cirque 3
Les Incas 4
La danse espagnole 5
Les insectes 6
Sorbets aux fruits 7
Maïs grillés 8
Rotis 9
Enfant qui joue au juge 10
Vendeuse de noix de coco 11
Chanteurs 12 13
Étal de fruits 14
Calculatrice 15
Jab Molassi 16
Burroquite 17
Moco Jumbie 18
Tambours 19 20 21 22 23 24 25 26 27 28 29 30 31 32 33 34 35 36
Chars 37 38 39
Policiers 40 41 42 43 44 45 46 47 48 49
Costume 50
T-shirt 51

Au souk 20-21

Herbes et épices 1
Luth 2
Tambourin 3
Personnes qui portent des ballots de laine 4 5 6
Étals de dattes 7
Plateaux en cuivre 8
Poteries peintes 9
Babouches en cuir 10
Paniers tressés 11
Toques brodées 12
Selles 13 14
Verres de thé à la menthe 15 16 17 18 19 20 21
Récipients en bois de cèdre 22 23 24 25 26 27 28 29 30 31 32 33
Chapeau de paille 34
Olives 35
Personnes qui marchandent 36 37
Poules 38 39 40 41 42 43 44 45 46
Porteurs d'eau 47 48 49 50
Miroir 51
Grand-tante Yvonne 52

Au centre commercial 22-23

Bancs 1 2 3 4 5 6 7 8
Bureau d'accueil 9
Enfant perdu 10
Salon de coiffure 11
Cerfs-volants 12
Équipement de sport 13
Livres 14
Chapeaux de cow-boy 15
Chaussures 16
Jeans 17
Fleurs 18
Gâteaux 19
Danseuses 20
Glaces 21
Spaghetti 22
Pizza 23
Statues de flamants roses 24 25 26 27 28 29 30 31 32 33 34 35 36 37 38 39 40 41 42 43 44 45 46 47
Valise 48
Gardiens 49 50 51 52 53 54 55 56 57 58
Téléphones 59 60 61 62 63
Ascenseur vitré 64
Fresque 65
Ballon à pois 66
Grand-tante Yvonne 67

Au ski 24-25

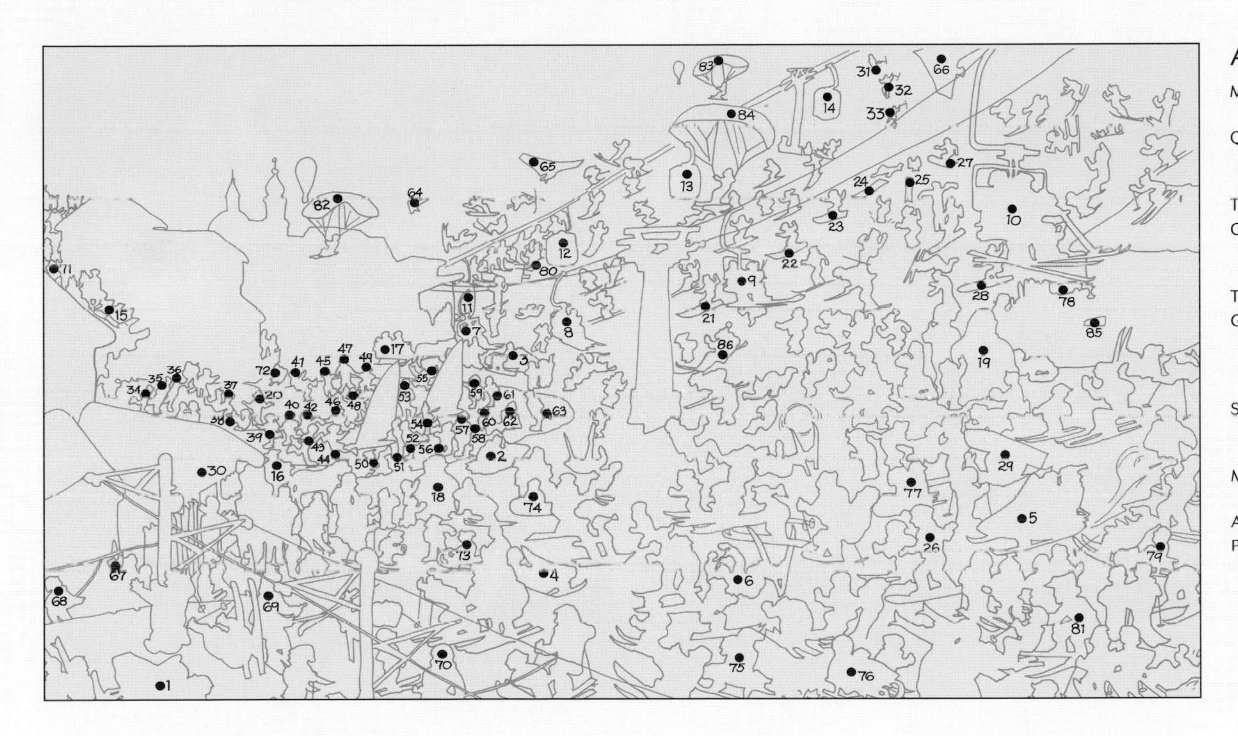

Motoneiges 1 2 3 4 5
Quelqu'un qui a cassé ses lunettes 6
Télésièges 7 8 9 10
Cabines de téléphérique 11 12 13 14
Traîneaux 15 16 17
Groupes d'enfants faisant un bonhomme de neige 18 19
Surfeurs 20 21 22 23 24 25 26 27 28 29
Magasin de location de skis 30
Alpinistes 31 32 33
Patineurs 34 35 36 37 38 39 40 41 42 43 44 45 46 47 48 49 50 51 52 53 54 55 56 57 58 59 60 61 62 63
Deltaplanes 64 65 66
Sac 67
Skieurs sur un téléski 68 69 70
Luges 71 72 73 74 75 76 77 78 79
Moniteurs de ski 80 81
Skieurs en parapente 82 83 84
Fromage 85
Grand-tante Yvonne 86

En safari-photo 26-27

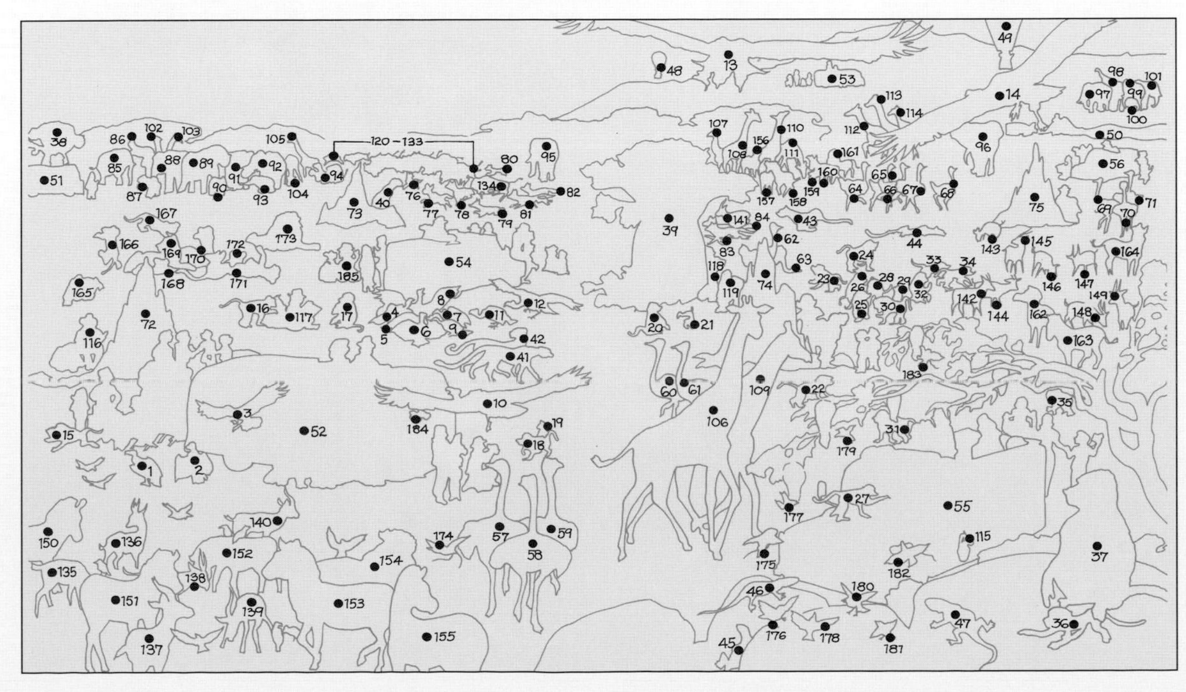

Vautours 1 2 3 4 5 6 7 8 9 10 11 12 13 14
Babouins 15 16 17 18 19 20 21 22 23 24 25 26 27 28 29 30 31 32 33 34 35 36 37
Baobabs 38 39
Guépards 40 41 42 43 44
Agames 45 46 47
Montgolfières 48 49 50
Car 51 52 53
Quatre-quatre 54 55 56
Autruches 57 58 59 60 61 62 63 64 65 66 67 68 69 70 71
Termitières 72 73 74 75
Lycaons 76 77 78 79 80 81 82 83 84
Éléphants 85 86 87 88 89 90 91 92 93 94 95 96 97 98 100 101
Girafes 102 103 104 105 106 107 108 109 110 111 112 113 114
Gourde d'eau 115
Chercheurs 116 117 118 119
Gnous 120 121 122 123 124 125 126 127 128 129 130 131 132 133 134
Gazelles de Thomson 135 136 137 138 139 140 141 142 143 144 145 146 147 148 149
Zèbres 150 151 152 153 154 155 156 157 158 159 160 161 162 163 164
Lions 165 166 167 168 169 170 171 172 173
Tisserins 174 175 176 177 178 179 180 181 182 183
Jumelles bleues 184
Grand-tante Yvonne 185

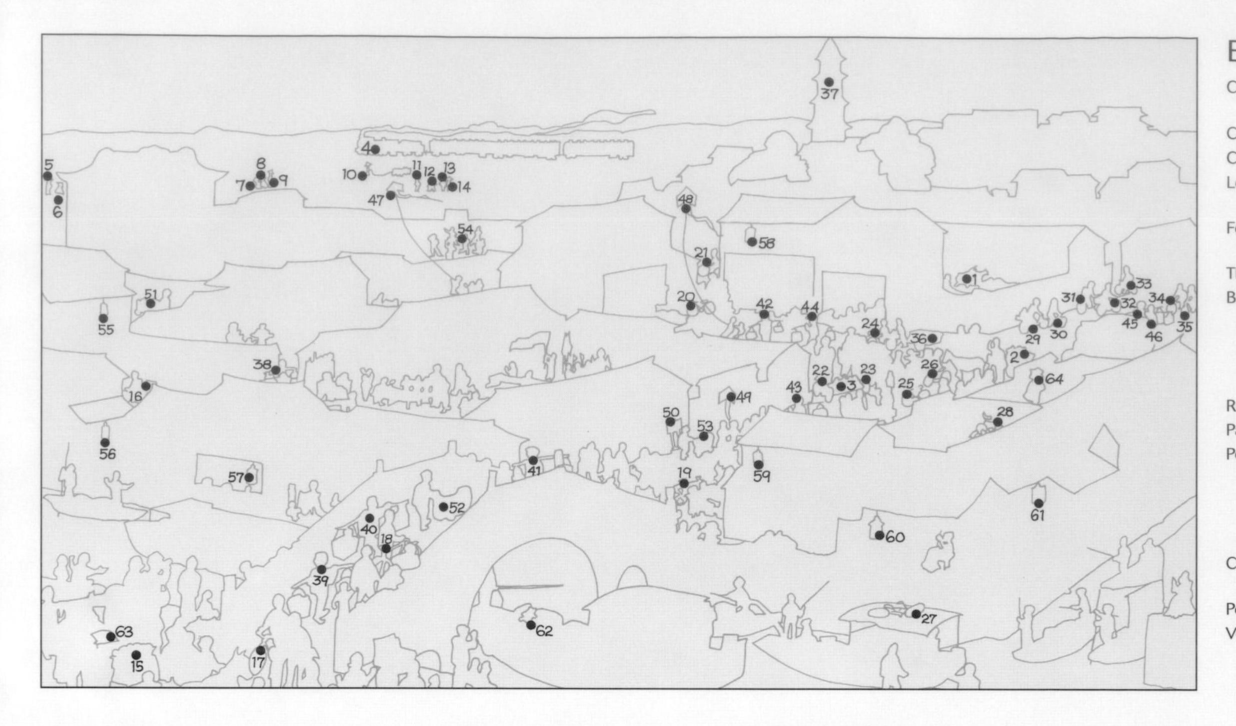

En ville 28-29

Costume de dragon 1
Cochons 2
Canards 3
Locomotive à vapeur 4
Fermiers 5 6 7 8 9 10 11 12 13 14
Théières à vendre 15
Bicyclettes 16 17 18 19 20 21 22 23 24 25 26 27 28 29 30 31 32 33 34 35
Rouleaux de soie 36
Pagode 37
Personnes avec des paniers suspendus à un baton 38 39 40 41 42 43 44 45 46
Cerfs-volants 47 48 49
Pelle 50
Voitures d'enfant 51 52 53
Groupe de taï chi 54
Cages d'oiseaux 55 56 57 58 59 60 61
Panda en peluche 62
Éventail 63
Grand-tante Yvonne 64

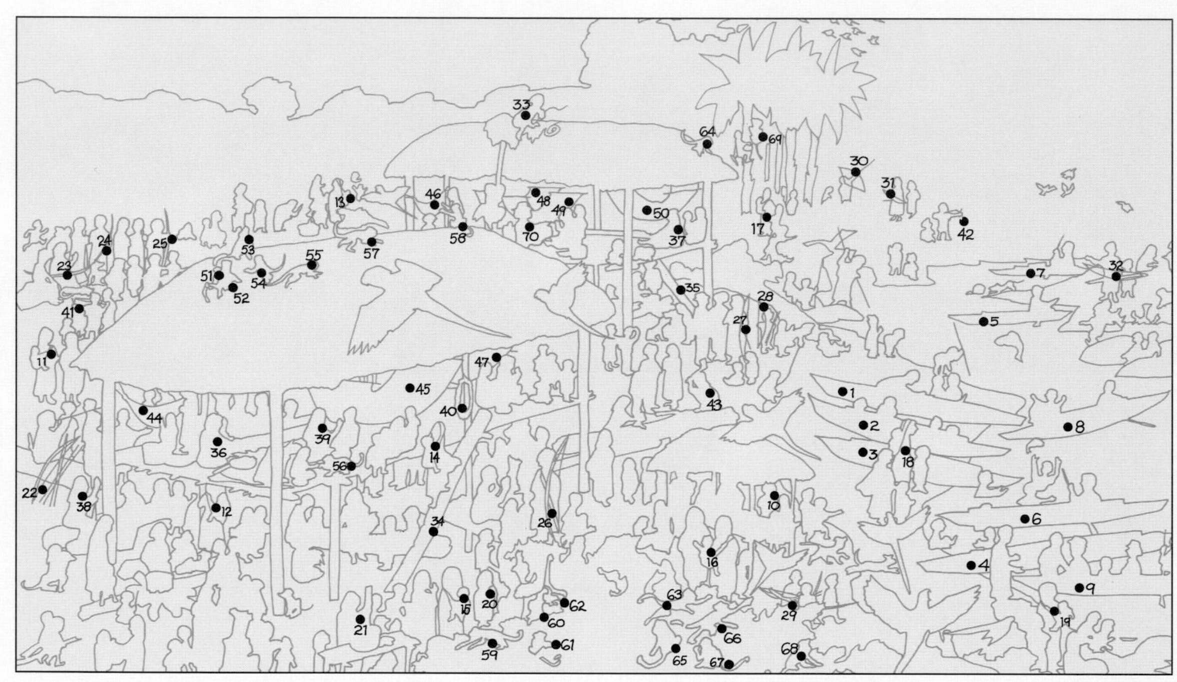

En forêt tropicale 30-31

Pirogues 1 2 3 4 5 6 7 8 9
Fillette avec des graines du rocouyer 10
Bébés en bandoulière 11 12 13 14 15 16 17 18 19
Fillette au perroquet 20
Quelqu'un qui broie du manioc 21
Arcs 22 23 24 25 26 27 28 29 30 31 32
Quelqu'un qui répare un toit 33
Échelles 34 35
Personnes qui tissent 36 37
Personnes qui filent 38 39
Guirlande de plumes 40
Lance-pierres 41 42
Personne qui coupe du bois 43
Hamacs 44 45 46 47 48 49 50
Singes hurleurs roux 51 52 53 54 55 56 57 58 59 60 61 62 63 64 65 66 67 68
Régime de bananes 69
Grand-tante Yvonne 70

Dans les îles 32-33

Ânes 1 2 3 4 5 6 7 8
Vases 9 10 11 12 13 14
Bouzoukis 15 16 17 18 19 20 21 22
Personne qui mange 23
Églises 24 25 26
Femmes qui cousent 27 28 29 30 31 32 33 34 35 36
Colliers 37
Cartes postales 38
Sacs en cuir 39
Chats 40 41 42 43 44 45 46 47 48 49 50 51
Paniers de poissons 52 53 54 55
Bateaux de pêche 56 57 58 59
Ferblantier 60
Boulanger 61
Cordonnier 62
Carnet et crayons 63
Fenêtres avec des volets rouges 64 65 66 67 68 69 70 71 72 73 74
Phoques moines 75 76
Barques 77 78 79 80 81
Ruines 82
Statue d'argile 83
Grand-tante Yvonne 84

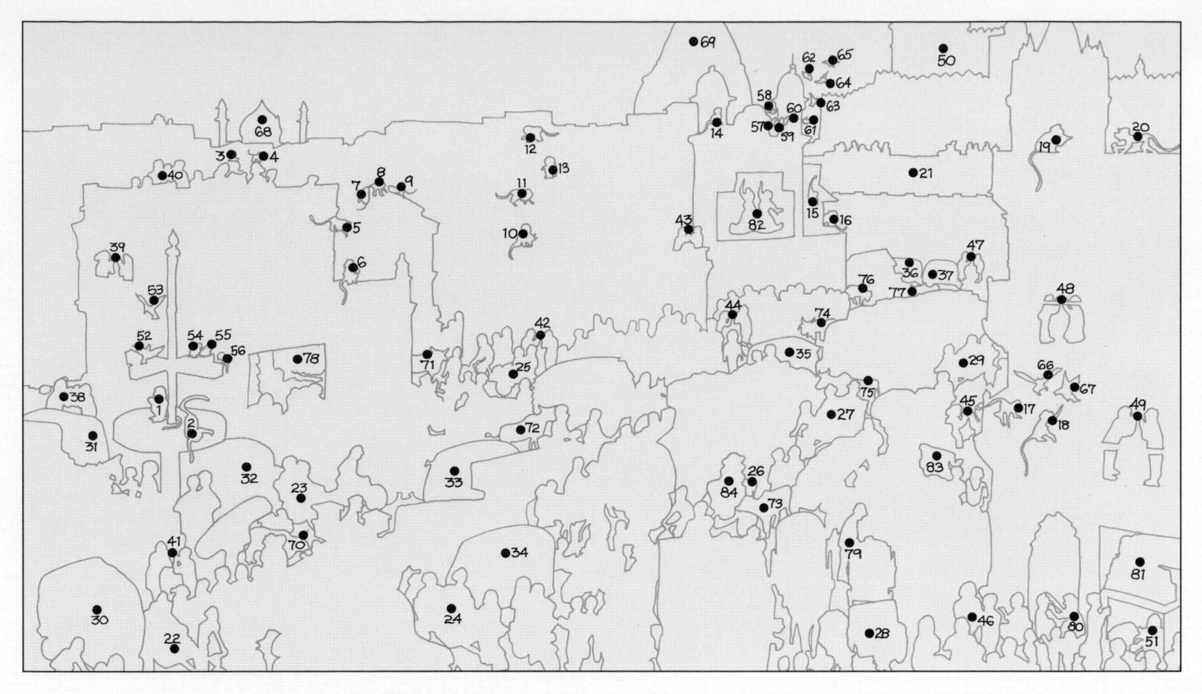

Dans les rues 34-35

Langurs 1 2 3 4 5 6 7 8 9 10 11 12 13 14 15 16 17 18 19 20
Train 21
Pousse-pousse à bicyclette 22 23 24 25 26 27 28 29
Pousse-pousse à scooter 30 31 32 33 34 35 36 37
Paires de personnes se saluant 38 39 40 41 42 43 44 45 46 47 48 49
Forteresse 50
Vendeur de thé 51
Corneilles 52 53 54 55 56 57 58 59 60 61 62 63 64 65 66 67
Mosquée 68
Temple 69
Vaches 70 71 72 73 74 75 76 77
Chaussures 78
Homme qui fait frire des puris 79
Barbier 80
Confiseries 81
Affiche de cinéma 82
Guirlande de fleurs 83
Grand-tante Yvonne 84

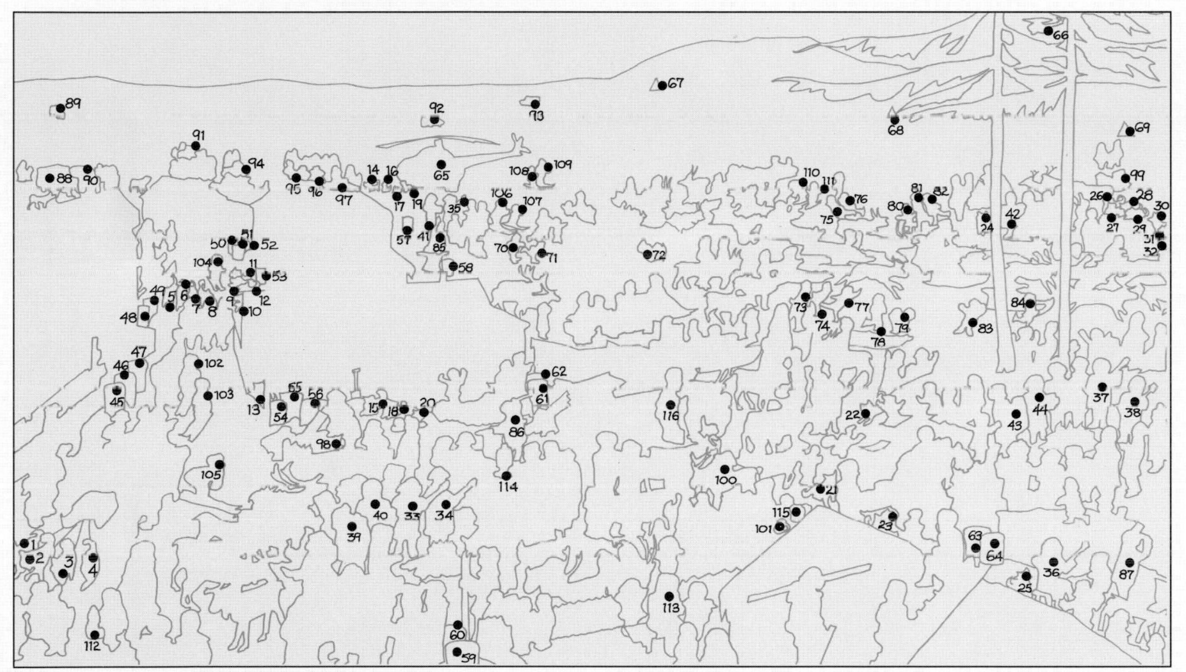

À la course de rennes 36-37

Huskys 1 2 3 4 5 6 7 8 9 10 11 12 13 14 15 16 17 18 19 20 21 22 23 24 25 26 27 28 29 30 31 32
Balalaïkas 33 34 35 36 37 38
Accordéons 39 40 41 42 43 44
Barils de pétrole 45 46 47 48 49 50 51 52 53 54 55 56 57 58 59 60 61 62 63 64
Hélicoptères 65 66
Chums 67 68 69
Patineurs 70 71 72 73 74 75 76 77 78 79 80 81 82 83 84
Hommes qui coupent du bois 85 86 87
Quatre-quatre 88 89 90 91 92 93
Motoneiges 94 95 96 97 98 99
Personne qui harnache un renne 100
Oreillettes 101
Skieurs 102 103 104 105 106 107 108 109 110 111
Ours en peluche 112
Sculpteur 113
Samovar 114
Bonnet de fourrure blanc 115
Grand-tante Yvonne 116

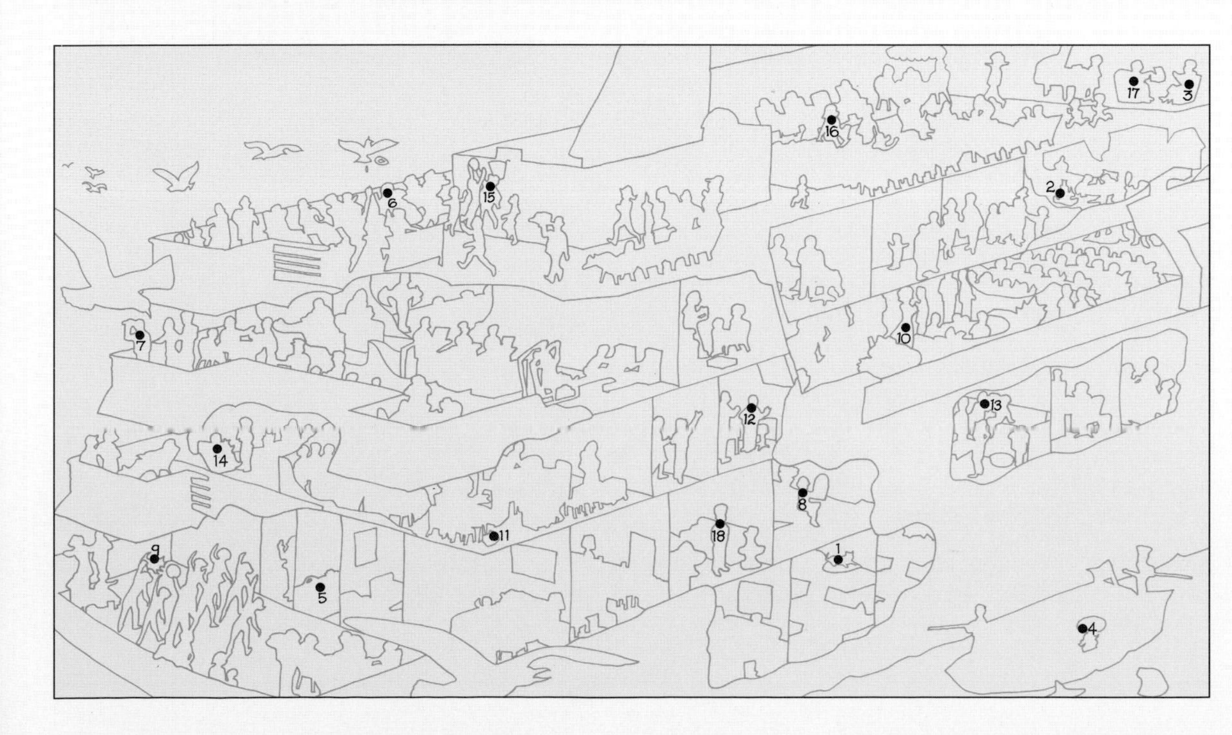

En croisière 38-39

Minouche 1
Petite Anne 2
Grand-tante Ève 3
Rosie 4
Jacques 5
Josiane 6
Oncle Michel 7
Madame Choy 8
Médor 9
Grand-tante Yvonne 10
Zazou 11
Sacha 12
Les jumeaux 13
Docteur Parekh 14
Max 15
Tante Mireille 16
Grand-oncle François 17
Monsieur Choy 18

Remerciements

Les éditeurs souhaitent ici vivement remercier les personnes et organismes suivants pour leur précieuse collaboration :

pages 4-5 : Roz Quade, BAA London Gatwick, Grande-Bretagne

pages 8-9 : Australian Tourist Commission, Londres, Grande-Bretagne

pages 10-11 : Shelagh Weir, conservateur de la section Moyen-Orient au musée de l'Homme (British Museum), Londres, Grande-Bretagne

pages 12-13 : Madame Mitsuko Ohno

pages 14-15 : le « Lagon Bleu », Blue Lagoon Ltd, PO Box 22, 240 Grindavik, Islande

pages 16-17 : Sheila Anderson

pages 18-19 : Trinidad High Commissioner's Office, Londres, Grande-Bretagne

pages 20-21 : The Best of Morocco

pages 24-25 : David Hearns, Ski Club of Great Britain, Londres, Grande-Bretagne

pages 26-27 : David Duthie

pages 28-29 : Frances Wood, conservateur des collections chinoises, British Library, Londres, Grande-Bretagne

pages 30-31 : Survival International, 11-15 Emerald Street, Londres WC1N 3QL, Grande-Bretagne. Pour plus d'informations sur les Indiens d'Amazonie, contacter Survival International

pages 32-33 : Andrew Stoddart, The Hellenic Bookservice, 91 Fortess Road, Londres NW5 1AG, Grande-Bretagne

pages 34-35 : A. K. Singh, Indian Tourist Board, Londres, Grande-Bretagne

pages 36-37 : Dr Alan Wood, Université de Lancaster, Grande-Bretagne

pages 38-39 : Tim Stocker, P&O Cruises, 77 New Oxford Street, Londres WC1A 1PP, Grande-Bretagne

Réponses aux questions de la page 41 :

1. La Sibérie
2. L'Afrique orientale
3. 8 h (en Thaïlande)
4. À l'aéroport
5. Trois (l'Antarctique, les Alpes, la Sibérie)
6. Cinq (le Moyen-Orient, Trinidad, le Maroc, l'Afrique orientale, la Grèce)
7. 18 bateaux ; 20 avions ; 8 trains ; 22 cars
8. D
9. F
10. C
11. F

Maquette de la couverture et assistance à la maquette : Stephanie Jones
Assistance à la rédaction : Ben Denne et Claire Masset